Voyages en absurdie

Stéphane De Groodt
avec la collaboration de Christophe Debacq

Voyages en absurdie

PLON
www.plon.fr

© Éditions Plon, un département d'Édi8, 2013
12, avenue d'Italie
75013 Paris
Tél. : 01 44 16 09 00
Fax : 01 44 16 09 01
www.plon.fr

ISBN : 978-2-259-22246-4

A ma mère qui a fait de moi un fils,
A ma femme qui a fait de moi un mari,
A mes filles qui ont fait de moi un père,
A ces femmes qui ont fait de moi un homme…

à Jean…
et aux gens

Préface

Ce livre est le fruit de rencontres et de découvertes, ce qui est peu ou prou la même chose. Ou proue si on veut faire le marin...

A l'origine de cette aventure, il y a Christelle Graillot, tête chercheuse chargée pour Canal+ de repérer celles et ceux qui sont susceptibles de correspondre à l'esprit maison. Demeure où l'on peut conjuguer le singulier, où l'on peut peindre sa toile et pondre son œuf. Certes je ne suis pas une poule, mais Christelle me propose malgré tout de développer un projet me permettant de faire partie des maillons de la chaîne.

Je lui propose alors une idée pondue sous une douche matinale.

Ensuite plus rien, avant qu'il y ait tout...

Quelques mois plus tard, l'eau a coulé sous la douche, et Céline Pigalle, rédactrice en chef d'une autre Matinale, cathodique celle-ci, me propose trois interventions dans l'émission du vendredi matin emmenée par Caroline Roux.

Conjuguer l'écriture et le jeu, le masque et la plume en direct dans un environnement tel que celui-là est une expérience singulière qui peut se révéler formidable ou désastreuse. Par chance, c'est la première option qui émerge.

Six mois et une vingtaine d'émissions plus tard, Canal+ me propose de prolonger l'aventure dans un nouvel écrin. Non pas celui du parc national, mais dans celui du « Supplément » ; nouvelle émission pensée et produite par l'excellent Bon Laurent et son complice Yann Barthès.

C'est ainsi que j'entame alors mon Retour vers le futur, chroniques dont vous tenez les éléments de preuves entre vos mains.

Tous les dimanches, Maïtena Biraben est à la barre. Elle est mon premier public, la première oreille qui donne le La, le premier regard qui donne le Lu, ce qui ne veut rien dire mais qui m'est nécessaire car il éveille un sourire, un rire... ou rien quand il n'y a rien à rire.

Canal+ a eu la bonne idée de me laisser une liberté totale dans l'exercice de mes divagations. Elles m'ont porté du bureau de Bachar el-Assad au potager papal en passant par la cave à vins de

l'Emir WineHouse. Du concert des colons de
Carla Bruni au buzzness de Nabila...

Je dois aussi ces voyages en absurdie à mon co-
auteur Christophe Debacq, complice dément des
mots, rencontré par hasard dans ma boîte mail il
y a huit ans.

Ces voyages ne seraient pas ce qu'ils sont sans
le regard magnifique mais néanmoins critique
de ma femme Odile sur mon travail. Elle est ma
plus belle escale.

Albert II / Elizabeth II

Invitée : Nabilla Benattia[1]

Vous le savez peut-être, et si vous ne le savez pas je vais vous le dire, ça vous évitera de l'ignorer, mais Albert II, roi de Belgique, qui sans vouloir prêter la Flandre à la critique rend plus belge la vie, est né le 6 juin !

Eh oui, quelle drôle D-day !...

Etant moi-même de confession belge par la mère de mon frère et bruxellois par mon père, mon fisc et mon saint-esprit, il était tout naturel, ou Paturel si je m'étais appelé Sabine, que je parte à la rencontre de Sa Majesté, enfin ma majesté, ou même papajesté – comme c'est un mâle – afin

---

1. Les chroniques pour lesquelles un invité est mentionné proviennent de l'émission « Le Supplément » ; les autres sont extraites de « La Matinale ».

d'user, comme tout bon sujet, de mon verbe pour faire des compliments à ce roi qui règne sur le pas pays qui est le mien.

A peine arrivé à mon point de départ, sans bouger de chez moi quoi, je pris la direction du Palais, où un garde royal un peu gelé m'informa que le roi, sa femme et le p'tit prince étaient justement partis chez moi ! N'ayant plus le temps de serrer la pince de Monseigneur je m'en retournai Anvers et contre tous non sans lui transmettre mes hommages et intérêts par sms… oui, j'avais téléchargé « l'appli Birthday »…

Changement de programme donc. Heureusement, connaissant les ficelles du protocole, ayant donc plusieurs cordes à monarques, je me rappelai que la reine Elizabeth, comme ses pieds, célébrera le 4 juin prochain ses soixantes années passées sur le trône ! Un bel hommage à l'Elizabeth fessier… qui avec son insulaire de ne pas y toucher est quand même la descendante du George V. Et si on la chambre avec ça, elle n'est pas-lasse de répéter qu'elle est surtout la fille de George VI, roi Bègue dont les valets-rient encore de ses discours.

Une fois arrivé sur la perfide d'Albion, un taxi me conduisit, avec au volant un Maya, à l'abbaye de Westminster où je trouvai porte close ! Ben oui, comme c'était jour de fête, il faisait le pont-l'abbé… Pas de quoi en faire un fromage, « *not to do with a cheese* », je décidai de me rendre directement à Buckingham, à Buckingham, Barbara toujours dans nos cœurs. Oui, j'aime le chant-point !

Une fois sur place, shake spire un grand coup, je shake la main de William, make the bise to Kate, puis rejoins son altesse-et-go dans le canapé du salon où elle propose un thé Mariage, pour tous. Ensuite elle s'assied, je m'assied, on s'assied quoi ! Rien de très… Au bout de ses jambes ses pieds, à ses pieds ses chiens, à ses chiens des poils, à ces poils des pattes, à ces pattes, oui bon…

Arrive alors son fils Charles, le prince de France Galles, suivi de son père, le prince consort. Qu'on Windsor presque plus d'ailleurs car il est un peu à côté de ses grandes pompes sous son kilt écossais à petits pois…

Histoire de ne pas la laisser comme deux ronds de jelly, c'est comme deux ronds de flan, mais moins bon… je me permets de dire à celle qui porte la couronne dans cette baraque qu'il serait peut-être temps de passer les rênes du pouvoir ou les pouvoirs de la reine, enfin de passer la main, quoi…

Elle me dit que pour éviter la foire du Trône il ne faut pas lâcher la proie pour Londres. Qu'il faut habilement tisser sa toile car Charles n'est pas encore homme-à-régner. Et encore moins Camilla qu'elle connaît Parker et qui n'a pas les balls pour relever le défi.

Prenant alors congé, réalisant la charge qui pèse au-dessus de la poire de William, je me dis qu'il en aurait été autrement si Diana n'avait pas coupé les ponts...

Lance Armstrong

Invités : David Koubbi, Karim Mokhtari

Alors je ne vous apprendrai rien en vous apprenant que la semaine prochaine aura lieu le dernier débat opposant Barack à Mitt...

Dans ma quête permanente d'excellence et d'excellence, oui j'en veux toujours deux fois plus, je me suis envolé pour les States afin de rencontrer l'un d'eux. Mais une fois en vol je me suis rendu compte que j'avais oublié mes chouquettes dans le four et qu'il me fallait rentrer au plus vite. A peine arrivé, j'organisai donc mon futur vers le retour en sautant dans le premier avion pour Paris. Voilà, merci, au revoir et à la semaine prochaine !

C'est alors que je reçus un appel du Bon producteur de cette émission qui exigea de fournir trois paragraphes de plus, sous peine de me faire bosser sur D8, et de retourner donc d'où je venais *illico*. N'ayant pas d'illico sous la main, je convainquis le commandant de bord, qui s'appelait Guy…, de passer la marche arrière et de retourner au pays de l'Oncle Ben's.

Débarquant sur le tarmac, je tombe sur Lance Armstrong ! Je tombe bien, car vous le savez sûrement, et si vous le savez pas, arrêtez de tout me faire répéter deux fois, mais la semaine prochaine sera dévoilée la carte du Tour de France, qui partira de Corse pour rejoindre Marseille… du moins pour les coureurs qui ne se seront pas noyés.

Toujours à l'aéroport, par-dessus le bruit des réacteurs, et comme il en connaît un rayon, oui bon… je demande au septuple vainqueur du Tour, ou pas d'ailleurs, ou peut-être que si, en fait on sait plus et finalement on s'en fout, ce qu'il fait là.

En tendant l'ouïe Armstrong me répond que, pour redorer son maillot jauni, il aide l'aéronautique en urinant dans le réservoir des Boeing 747. Ce qui leur permet de faire Paris/New York en moins d'une demi-heure. Tout en déplaçant un Airbus de la main droite, il m'explique qu'il tâchera aussi de remporter les 24 Heures du Mans à pied en une matinée, et dans la foulée tentera de battre le record de Felix Baumgartner en sautant de la lune en VTT, sans frein, ni selle… ni VTT. Je lui fais remarquer que c'est peut-être pas la meilleure idée pour lever les soupçons, mais il fait la sourde tête, c'est comme une sourde oreille mais en plus large, et me dit que ça dopant comment on voit les choses.

Réalisant qu'il a totalement déraillé, je tente de prendre congé de lui mais il me rattrape avant même que j'aie l'idée de partir. C'est alors qu'Armstrong me Lance, solennel, que cet exploit sera sans nul doute un petit pas pour l'homme, mais un gand coup de pédale pour l'humanité…

Bernard Arnault

Invité : Frédéric Mitterrand

Comme vous le savez, et si vous le savez pas c'est que vous n'êtes pas aussi riche que vous le pensiez, ou dépensiez... Mais mardi c'est la date limite pour le paiement de l'ISF, l'équivalent du timbre fiscal pour l'homme le plus riche de France, qui deviendra peut-être l'homme le plus riche de Belgique. Un titre jusque-là détenu par l'inventeur du chou de Bruxelles.

En tant que représentant de l'Outre-Quiévrain, rien à voir avec l'animal aquatique, j'ai donc souhaité rencontrer mon futur « richecon-patriote », *dixit Libération*, qui contribuera peut-être au redressement productif de la Belgique : Bernard Arnault Montebourg.

Arrivé au seuil de sa modeste chaumière, agrandie de 75 %, je brabançonne à la porte. Personne. Je me faufile alors par la chatière, et sept heures plus tard, une fois décoincé, j'entre dans le petit salon, à côté du moyen salon qui précède le grand salon. Soudain l'alarme se déclenche, mais je réalise avec soulagement qu'il s'agit en fait du best of de Lara Fabian.

Arrive alors l'assistante de M. Arnault, Nelly, qui me propose de faire la visite des appartements privés. Là je découvre de magnifiques photos expressionnantes et impressionnistes d'Annie Cordy en tenue d'Eve... lève-toi ! Une chance que ce ne soit pas le contraire. A la télé passe en boucle un film Ickx, c'est la victoire de Jacky aux 24 Heures du Mans.

Tout autour, un parterre de personnalités belges, complètement par terre d'ailleurs. Je découvre Axelle, Red comme un piquet. A ses côtés, Maureen dort aussi. Plus loin, Justine Henin, c'est vrai qu'elle est pas grande... Sous elle, Natacha a mal mais je n'ai pas le temps de m'en occuper car après avoir enjambé Arno, le chanteur, je découvre enfin Arnault le Bernard, qui m'explique la bouche pleine de chicons, j'suis con..., d'endives, avoir acheté ces artistes belges vivants pour sa collection perso.

Johnny-a-l'idée de ne pas en faire partie.

Je lui dis que c'est suspect cette passion pour la Belgique. Ce n'est qu'un pays, pas la peine d'en faire tout un plat... Mais Bernard veut me prouver sa bonne foi, une fois, en me faisant un chèque de 30 millions de francs belges – l'équivalent de 6,50 euros – au profit de l'association « Manneken, Peace and Love » qui milite activement pour la réconciliation entre Flavie et Flamands.

Bien que touché par ce geste, je lui fais comprendre que je ne suis pas homme à me laisser acheter et lui rappelle que la Belgique n'est pas qu'une niche fiscale. Il me répond que c'est une niche qui a aussi vu naître Milou...

Touché au plus profond de mon Namur propre, je repars par la chatière en faisant remarquer qu'une vachière serait quand même beaucoup plus pratique !

Aux dernières nouvelles on aurait aperçu Bernard se promenant seul sur la Grand Place, tel un ermite errant...

Julian Assange
et Mahmoud Ahmadinejad

Invité : Jean-Michel Apathie

Vous ne le savez sûrement pas, et si vous le savez ce serait bien la première fois, mais mercredi prochain reprendront les audiences préliminaires de Bradley Manning, ce soldat américain accusé d'être la taupe, non pas René, mais la taupe dans le dossier Wikileaks qui aurait transmis 260 000 dé-pêches du département d'Etat. 260 000. C'est vrai que ça en fait des pêches, des tas de pêches même, mais de là à en faire un fruit défendu qui déchaîne toutes les passions...

N'empêche, c'était l'occasion de partir à Londres-de moi-même, afin de rencontrer Julian Assange, le créateur de Wikileaks. Sans savoir si j'allais trouver un Julian courbé par la pression, ou au contraire un Julian clair dans sa tête, je décidai d'aller crever l'abcès avec mes questions avant que Julian le perce !

Dans le train, une fois sorti du Channel à La-gare-Feld, je me mis en quête, sans William, du parking d'Assange. C'est alors qu'au pied de Big Ben, cherchant la bonne direction, un bobby la pointe, du doigt, me précisant qu'il est toujours reclus à l'ambassade d'Equateur, et que c'est Quito double pour avoir l'Assange de le rencontrer. Tout ça me semble bien compliqué, d'autant plus que le Bobby eh oui… m'apprend que c'est sa sœur Angélique, marquise d'Assange, qui gère son agenda.

Alors si j'étais bien parti, à un tiers provisionnel de ma chronique, je me rends compte que je suis toujours arrivé nulle part. Donc je vire Julian, de toute façon Assange… rien !

Exit la taupe et la belette, je me rabats alors, non pas sur le Maroc, mais sur Téhéran car le 9 avril prochain c'est la journée nationale iranienne de l'énergie atomique, ou NRJ Muslim Awards. A ne pas confondre avec la purée muslim… non, c'est plutôt l'occasion pour eux, vu leurs atomes crochus, de parler de leurs bombasses anatomiques.

Je suis donc parti à la rencontre du président iranien Mammouth Ahmadinejad.

Et quand je dis Mammouth, défense d'ivoire… un mauvais jeu de mots, c'est bien son prénom.

Alors pour bien comprendre l'Iran il faut maîtriser son histoire, du coup j'ai rencontré Reza Pahlavi, le fils de feu le Shah et de la chatte afin de parfaire ma culture iranienne. Reza, qui n'a Pahlavi facile, me parla de cet Iran qu'il ne reconnaît plus et que moi-même je ne reconnaîtrais pas. Ce qui est assez logique puisque je le connaissais pas à la base…

Une fois à Téhéran, ou attéhéri comme on dit là-bas, un guide coiffé comme Diana Ross, un guide Suprême… des Dieux, m'emmena jusqu'au palais présidentiel où Mammouth vint m'accueillir avec un sourire radium. En guise de présent, je lui remis le tube de Carla. Non pas « C'est quelqu'un qu'Ahmadi », je l'ai déjà faite, mais plutôt son tube de mascarade… Plus approprié ! Vu l'heure, il me propose alors de manger sur le pouce. Je lui réponds que même en Belgique on mange sur des chaises, et qu'il n'est pas question de me mettre un pouce où que ce soit et surtout pas là…

On frôle l'incident diplomatique, mais comme il n'y a plus de relations diplomatiques avec l'Iran, ben... on frôle rien du tout et nous partageons alors le buffet dressé pour l'occasion par Hakuna Mammutha la femme de Mammouth... à moins que ce ne soit son épouse qu'il ait dressée à grands coups dans le buffet. Bref, après m'être servi d'un peu de Barbue et de l'atome de Savoie... Mammutha met le voile, enfin elle se casse quoi.

Mammouth m'avoue alors qu'à force de vouloir faire la révolution il se sent un peu ramollah, c'est le ramollo islamique, et que, pour changer d'ère, il s'offrirait bien un week-end aux champignons, à Fessenheim. Une envie forte au point qu'il en Areva toutes les nuits ! Même si le Coran était bien passé entre nous, je trouvai qu'il chariah quand même un peu.

C'est donc sur ces mollahs que je décidai de quitter l'Iran, j'en avais assez vu comme Shah !...

David Beckham

Invité : La Fouine

Vous le savez peut-être pas et si vous le savez vous avez pas intérêt à l'oublier mais le 14 février prochain c'est la Saint-Valentine, fête de la peinture. Me doutant que rencontrer un peintre en bâtiment pour mon Retour vers le futur me vaudrait un aller simple vers le passé de la part de mes employeurs, je changeai mon fusil d'épaule, même si j'étais pas armé, et décidai de partir à la rencontre de celui qui est désormais le cheveu de bataille du PS-G, Jean-Louis David Bekcham/Burger king, qui participera à son premier entraînement avec le club parisien dès mercredi prochain.

C'est donc chaussé de crampons et de protège-Taubira que je me rendis au Parc des Princes, mais à peine arrivé, un des princes en question m'informa que David se trouvait au Qatar et que je pouvais donc aller me faire voir.

Très motivé à l'idée de moi aussi charmer le Cheikh, je file à l'aéroport, mais à cause de mes crampons je reste accroché à la moquette de la salle d'embarquement et l'avion décolle une fois de plus sans moi. Après avoir fait le pied de grue, une Qatarpillar, je pus enfin trouver une correspondance pour l'Emirat.

A peine atterri, un taxi pour Tobrouk fit demi-tour afin de me conduire vers le Palais où je fus accueilli par le fameux Cheikh, en blanc. Vu que je n'avais pas dîné, il m'offra deux Doha coupe-faim avant de me meuner, du verbe memeuner, en direction de sa cave à vins : l'Emir Wine-house… où nous attendait la nouvelle recrue du PS-G.

Après deux heures de marche, oui, il voulait passer par le salon, nous descendîmes au soûl-sol Allah rencontre de David, qui nous attendait avec un ballon de rouge et où dans un coin Posh trônait ! Grand seigneur, le Cheikh avait sacrifié un mouton-rothschild, que nous dégustâmes pendant que Victoria faisait la Spice-gueule.

Afin de la dérider, j'invitai David à mettre sa langue dans la Posh, mais l'Emir nous proposa plutôt de visiter le stade qu'il construit dans son jardin afin de produire le prochain concert de Cheikhira, d'accueillir la Coupe du monde de 2022, les JO de 2026, ou encore les Emir Awards, pour lequel il a créé le Doha d'honneur.

Naïvement je demande si tant d'argent fait vraiment le bonheur. A cette question, le Qatarit, et Victoria esquisse un sourire, qui lui déchire aussitôt le tendon d'Achille. C'est alors qu'intervient la grand-mère de l'Emir : Cheikh Mamie, une femme pleine de sagesse... faute d'avoir plein de dents. Elle explique que c'est grâce à cet argent qu'ils peuvent tout s'offrir, de l'Emir/sphère Nord à l'Emir/sphère Sud, en passant par l'Europe et cette galerie marchande qu'est la France, plus connue ici sous le nom de Galerie La Faillite. A l'entendre je me dis qu'on court à la Qatarstrophe et décide alors de prendre mes cliques, mes claques et mes clopes, et de rentrer vite fait.

En me raccompagnant, l'Emir me conte les mille et un ennuis qui rythment son quotidien, et, pour se divertir un peu, aimerait que j'adapte quelques-unes des émissions qui mettent la France en joie. Il me propose « L'émir est dans le

Pré » ou alors une chronique heb-dromadaire sur Al-Jazeera dans une émission qui s'appelle-rait « le Suppl-émir ». Je lui explique gentiment que si on peut louer mes qualités, je ne suis pas à vendre pour autant ! Je sautai alors rapidement dans un taxi en direction de l'aéroport de peur de louper une nouvelle fois le Cheikh Inn...

Benoît XVI

Invité : Franck Louvrier

Vous le savez sûrement, et si vous le savez pas je vous demanderai de sortir, mais le 28 février prochain sonnera l'heure de la retraite pour le grand gagnant de « Papstars » 2005, Joseph Ratzinger, plus connu sous le pseudonyme de Benoît XVI ; un nom de Cène choisit en hommage à Benoist Apparu, comme la Vierge.

En tant que guide spiritueux du « Supplément », mais si…, il me semblait évident de partir à la rencontre du souverain poussif afin de savoir pourquoi. Pourquoi quoi ? me direz-vous. C'est pas la question, mais bien la réponse que je me pose !…

Une fois n'est pas coutume, et deux fois non plus d'ailleurs, ni trois. En fait on n'a jamais su à partir de combien c'était coutume... c'est en voiture que je pris la route du Vatican à bord d'une magnifique Ostie Mini décapotée, histoire de me faire bien voir dans le costume Lacroix que je portais pour l'occasion.

Comme l'église n'était pas tout à fait au milieu du village, je me suis égaré au mauvais endroit. En fait je m'étais planté dans le potager papal, au pied du basilique. Comme j'avais l'air bette, son pote-âgé de quatre-vingts ans, le père Sil, m'invita à quitter les lieux et me guida dans les appartements papaux. Mais assez jolis quand même...

Entre deux caisses de déménagement, parmi les garde-meubles suisses, qui faisaient les pitres..., j'aperçus enfin Sa Sainteté dans ce fourbi, étourdi. Reprenant ses esprits, oui il n'est pas encore complètement saint-saint, il me proposa d'aller déjeuner dans la Taverne de Maître Cantique située à deux papes de là. C'est plus près, donc moins Vaticant pour lui... Une fois assis par terre, ou par douze les jours de fête..., il se releva, prit le pain, le rompit et le donna à ses disciples, ou neuf je sais plus... en disant « Prenez, ceci est ma mie ». Il se *rassit* et me servit un canon di-vin que nous bûmes à Sa Sainteté.

Notre discussion pouvait enfin démarrer sous les meilleurs hospices.

Je demandai alors à Notre Père, qui est soucieux, si sa position démissionnaire ne risquait pas d'ébranler une Eglise entachée par des affaires de mœurs. Je vois alors le souverain pensif, car nous étions convenus d'éviter les sujets qui fâchent, tels que la religion et tout ce qui touche à l'existence de Dieu en particulier, et… aussi en général. En même temps, poser des questions pas très catholiques c'est un peu l'abbé à ba du journalisme, non ?!…

Après réflexion, dans un silence religieux, chaussant ses lunettes dernier Christ car il est lui aussi astigmate, il me dit ne pas être inquiet, car avec 18 sous-papes, l'église ne risque pas d'être en perte de vitesse.

Me fixant droit dans les yeux, longuement, il n'avait Dieu que pour moi, il me précise qu'il mettra un point cardinal à organiser sa succession avant de se retirer à Castel Gandolfo, la résidence d'été de Barbara Gandolfi, là où les prélats se prélassent. Ben oui, aprélat pluie le beau temps… Moi qui pensais qu'il irait dans un couvent ! Eh bien, non, il a refusé d'aller dans un

Mona-se-taire car il a encore des choses à dire et
la bonne parole d'Eve Angeli à propager.

Avant de partir, pendant qu'on nous sert un
café carême, Benoît me confesse qu'à l'issue de
son pontificat il sera à nouveau un homme
parmi les hommes, redevenant simplement
Joseph. Le voilà bien marri... Et que pour fêter
son départ, il va organiser un grand bal mosquée
où je serai cordialement invité. Il doit penser que
je suis probablement un chouette Mecque.

Comprenant que la messe est dite, je le laisse
rejoindre tranquillement les routes du paradis,
pendant que je m'empresse de reprendre l'un des
chemins qui me mena à Rome.

Ben oui, parce que c'est pas tout ça, mais moi
j'habite pas l'apôtre à côté !

Silvio Berlusconi

Invités : Martine (cybervictime), Patrick Clervoy,
Yohann Douady

Vous le savez sûrement, et si tu ne le sais pas, c'est que t'es pas assez jeune et rosée comme le matin, mais la semaine prochaine sortira la suite de *Twilight* que l'on peut aussi prononcer « Twilite » ou « Twalette », c'est selon... ou alors ne pas le prononcer du tout si on s'en fout ! Comme c'est pas loin d'être mon cas, et que l'ère Mitt est derrière nous, je me suis rabattu sur Silvio Berlusconi, qui fêtera demain le premier anniversaire de sa démission du Conseil.

Alors comme tous les chemins mènent à Rome, je pris le premier chemin qui me tomba sous le pied. Une fois arrivé à Koh-Lanta, j'envoyai une lettre de réclamation au bureau des proverbes à la con pour leur dire qu'on ne m'y reprendrait plus.

Ils m'ont toujours pas répondu, mais « patience est mère de vertu »... Sur place, Denis Brogniart me présenta à la tribu des rouges, qui réalisa que j'étais trop grand pour rentrer dans la casserole.

Ce qui me permit alors d'embarquer dans l'avion sanitaire qui rapatriait d'urgence un candidat qui avait tenté de faire du feu en se frottant contre un cocotier...

Revenu à mon point de départ, ou arrivé à mon point de retour, question de point de vue, je pris la route du Rhum... Après des jours de navigation, je me retrouvai donc comme un flan à Pointe-à-Pitre... que je fais très bien d'ailleurs. C'est finalement Hugues Aufray, qui n'a d'aufrais que de la bière, qui vint me chercher sur son fameux trois-mâts pour m'emmener enfin à la villa du Cavaliere, qui surgit hors de la nuit...

D'un large sourire allant de son oreille gauche à son oreille gauche, c'est dire si c'est large, Silvio m'accueille chaleureusement, me mène jusqu'au boudoir et m'invite à m'asseoir par-dessus Paolo, Regina, Barbara, Mauricette, Petit Poney Fringant et plein d'autres amis tous nus.

Comme je suis italien du côté de la mère de ma sœur et nul en langue du côté de chez Swann,

j'attaque aussi sec, façon de parler, par un toni-
truant : « ¿Qué tal ? » Berlu est confus par mes
notions d'espagnol, Silvio se lève en me disant
qu'il m'entendra mieux debout car depuis sa dernière chirurgie esthétique il a les tympans dans le
cul. Ce qui me permet de découvrir une partie de
son bassin méditerranéen dans un Trieste état.
Remarquant alors un petit fil qui dépasse de son
string, je tire machinalement dessus. Hurlant, il
me somme d'arrêter car il s'agit de la suture de
son lifting des gencives en vue de rénover son
palais.

Avant d'avoir eu le temps d'aborder les sujets
qui fâchent, et ceux qui fâchent pas d'ailleurs, il
me dit Silvio mieux pas en rester là et m'invite à
prendre la porte.

N'ayant pas d'outils sur moi je décide alors de
passer par la fenêtre.

Dans le funicula-funiculi qui me ramena vers
Paris, je compris que venir ici était une vrai ber-
lusconnerie...

Ingrid Betancourt

Invité : Guillaume Peltier

Vous le savez sûrement pas, et si vous le savez, arrêtez de vous la péter, mais la semaine prochaine débutent les négociations entre les Forces Armées Révolutionnaires, qu'il est de coutume d'appeler les FARC, et le gouvernement colombien de Juan Manuel Santos, qu'il est de coutume d'appeler... le jour de son anniversaire.

Qui dit FARC dit attrapes, j'ai donc rencontré celle qui a partagé leur vie des années durant, sans jamais avoir été nominée une seule fois. Je veux bien sûr parler de la gagnante de « Je suis une célébrité, sortez-moi de là » : Ingrid Betancourt.

C'est Frédéric Lopez qui m'a organisé ce rendez-vous en terre inconnue avec celle qui fut élue Miss Amazone en 2005. Il m'emmena en voyage les yeux bouchés et les oreilles bandées en direction du port d'Alexandrie, « *Alexandra, ce soir je danse dans tes draps* ». Trente-quatre ans déjà !... Non, plus sérieusement, il m'emmena dans le port d'Amsterdam... « *Y a des marins qui chantent...* »

Excusez-moi, mais j'ai attrapé la chansonite ! Bref, une fois dans le port j'embarquâme tous deux – oui j'invente des mots et j'adore ça – tels Christophe et Gérard Colomb sur un voilier en direction du nouveau monde. Tellement nouveau d'ailleurs qu'on réalisa un peu tard qu'il s'agissait en fait d'un thonier en partance pour Dunkerque...

Nous décidâmes alors de continuer à la nage. Deux heures plus tard – ça nageait bien –, nous voici dans la maison d'Ingrid, qui nous accueille les yeux fermés. Signe de confiance, certes, mais qui d'un point de vue logistique n'est pas très pratique.

Je m'installe face à notre hôtesse, qui m'observe du coin de la nuque, ce qui me fait dire que je ne suis pas du bon côté du canapé. J'enchaîne, alors que j'avais même pas encore commencé, et lui parle de son expérience avec la guérilla. Elle me répond du tic au tac, ça m'énerve, qu'elle adore effectivement la tortilla, mais sans trop de patata. Bouleversant !… J'insiste, afin de lui tirer les vers du pied, mais c'est tout ce qu'elle me livre de la jungle…

C'est alors que derrière elle j'aperçois la photo de ses neveux. Neveu un financement : le petit Woerth ; neveu te niquer : le petit Banier ; et neveu me casser : le Courroye… Réalisant que je ne suis pas DU TOUT chez la bonne Betancourt, je lui dis être confus. « *Comment ?!* » « CONFUS ! » et prends congé, de Liliane donc, qui en partant me demande colombien elle me doit pour ce mamie-sitting…

Après avoir couché mamie, et déposé à Cergy Lopez, je saute dans un avion et me retrouve face à Ingrid Betancourt, la bonne ! Je lui demande si ça va, elle me répond que oui…

Voilà ! C'est donc le cœur léger que je pris le chemin du retour, en espérant que colombines et colombins ne se laisseront plus aveugler par les appels de FARC…

Jacques Brel

Invité : Michel Sapin

En cette veille du sept, et non pas vieille Lucette que je salue quand même au passage, il me semblait opportun, ou au portail s'agissant de saint Pierre, voire même au porto si vous êtes à l'heure de l'apéro, de rendre un Brel hommage au grand Jacques, car cela fait trente-cinq ans que Jacques a dit—sparu…

Il me fallait donc retrouver celui qui auprès de Gauguin-ne-cause plus guère. Telle est ma quête, suivre les toiles, de mètre en mètre, et rencontrer le plus célèbre des chanteurs brelges.

Afin de le rejoindre dans son havre de paix polynésien, je pris la mer sur un cargo de nuit, mais de jour, prêté par Axel Bauer. Une fois sur le pont du gars, je découvris ses copains de bord. Il y avait Georges, brassant sa blague à tabac, furieux d'avoir encore une fois cassé sa pipe. Là Ventura, le beau Lino était collé par terre, occupé à faire marcher Charles à la limite de la crise Denner. Aldo était lui aussi à quatre pâtes, il préparait le déjeuner. A la proue, Léo ferrait le poisson, parce que avec le thon va, tout s'en va...

Après quelques heures de navigation, nous arrivâmes-en-paix au port de l'île. Et là, que vois-je aux Marquises ? Des anges !... Raison pour laquelle peut-être Jacques se fait appeler « Jacques des Anges » depuis qu'il y tient salon...

Une fois débarqué, ou des barquettes si vous êtes aux fraises..., une Brel jeune femme, tenant *un enfant par la main*, me propose de me guider auprès de son père. Je compris avec émotion qu'il s'agissait là de sa quatrième fille ; Francisca Brel, accompagnée de sa *petite Marie*. Je ne savais pas qu'il avait autant de baby-Brel.

Arrivé au seuil de sa dernière demeure, la porte s'ouvre et je découvre enfin Jacques Brel, que j'ai du mal à reconnaître depuis qu'il porte la barbe-à-ras.

Après lui avoir offert des bonbons, ben oui... Il m'invite à entrer aussitôt, ou sitar si on veut le faire en musique, mais une fois assis à l'ombre du très grand homme, je ne vois plus très bien ce que je fais là, oui c'est long brel… Du coup j'enchaîne en lui demandant à quoi il occupe désormais ses journées. Il m'explique que solitaire, il compose des chansons en vers, et toujours contre tout… Je lui rappelle qu'enfant déjà, il poètait plus haut que son culte. Marquant une prose, il me répond que c'était un atout de séduction très efficace, lui qui a toujours été un homme affable…

On enchaîne sur le plat principal, le plat pays qui est le nôtre, et ce temps où il chantait Bruxelles et où Bruxelles l'enchantait. Evoquant ses chansons, il me dit toujours attendre la venue de Madeleine. Je le rassure lui disant qu'elle a enfin trouvé sa place… Curieux, je lui demande qui était cette dame promenant son cul sur les remparts de Varsovie, l'usant comme d'une arme fatale ? Il me précise que c'était sa mère, au-séant pacifique. Une phrase qui fait marée, mais qui fait aussi qu'on médite.

A ce propos il me confie qu'il aimerait bien voir Piaf plus souvent, mais depuis qu'elle a retrouvé Cerdan, Edith chauffe Marcel…

Soudain son regard s'embrume. Dans un soupir, il m'avoue qu'elle est quand même moins Brel

la vie quand on a que la mort, à offrir en partage…
Eh oui je sais c'est triste, hormis le dimanche…

Tandis qu'il s'enfuit déjà, il m'offre des perles de pluie. Mais à Brel la pluie le beau temps non ?… Même si je me dis que tout ce tabac ne méritait pas un cancer d'adieu, je n'ai pas été Stromae-tisé de le revoir, au contraire je l'ai trouvé Formidable.

Carla Bruni

Invitée : Christine Boutin

Vous le savez sûrement, et si vous ne le savez pas c'est pas très grave, c'est le bon jour pour passer pour une cloche, mais le 1er avril prochain, c'est-à-dire demain, ou aujourd'hui si vous regardez cette émission en replay, ou hier si vous êtes déjà mardi, bref, au quatrième mois de l'an 2013 après J.-C., sortira le nouvel album de Carla Bruni : *Little French Songs*, de l'anglais *Little*, « petit », et du chinois « Frenchsong » : qui ne veut pas dire grand-chose, si ce n'est rien du tout ou à peu près...

Alors, comme la musique adoucit les mœurs et que Lénor adoucit mes slips, oui pour ceux que ça intéresse, je fais du placement de produits, je suis donc parti ! Et si vous vous demandez où... j'allais en venir, je suis parti à la rencontre de l'ex-première dame, chez elle au cap Nègre, qui après une plainte du MRAP et grâce à Martin, qui a lutté comme un king... a été rebaptisé simplement « Le Cap ». Ben oui car le nègre n'est pas un cap, que dis-je un cap, une pleine insulte !

« *Curieux : "De quoi sert cette oblongue capsule, d'écritoire, monsieur, ou de boîte à ciseaux ?"* »... Oui bon... ça n'a rien à voir !...

Une fois en route, après m'être égaré au large du cap Horn à cause d'un GPS défectueux, je changeai de cap et pris la direction de Johannesburg / Afrique du Sud.

A peine atterri je me retrouvai dans l'aéroport, noir de monde, et me mis alors en quête d'une Carla brunie... Après des heures à la chercher Lanvin, oui, je pensais qu'elle s'était défilée même si ça lui était passé de mode... y a quelqu'un qui m'a dit, en me prenant à part, en apartheid quoi, que Mand'est là mais pas Carla, carla-girlfriend de Sarkozy vit au cap Nègre version française.

Je remis alors les voiles, ce qui n'est pas très utile en avion, et arrivai enfin au seuil de la villa Bruni, voisine de la masure de Bruno. Là je fus accueilli par un garde du corps, qui, faute de corps à garder, est devenu garde-barrière, me précisant que d'habitude c'est Christine qui la garde mais qu'elle a été remplacée parce que trop FMI-née.

Je pénètre donc dans la propriété où je découvre enfin, sur la terrasse, Carla en train de carreler, pendant que dans la piscine Nico est en train de... nager. Ensuite, avec son copain Eros, elle ramasse-outils et autres accessoires, et vient m'accueillir chaleureusement, comme elle le ferait d'ailleurs pour Bertignac et tous les visiteurs.

Lui faisant part de mon étonnement quant à l'intérêt qu'elle porte aux travaux de rénovation, elle m'avoue que ça la détend, et que là par exemple elle se sent tellement détendue qu'elle va encore une fois ravaler la façade !

Elle m'emmène ensuite dans le p'tit salon avec vue sur sa mère, que je salue au passage, et me propose un verre de Campari. Comme j'ai l'estomac un peu fragile, je lui demande si le Campari brûle-t-il, sans vouloir lui jeter Lapierre bien sûr... Bon, comme il est déjà sept paragraphes moins le quart, j'enchaîne et demande à Carla si le fait de *cantare*, ou chanter, pour ceux qui ne parlent pas l'italique, l'aide à oublier ses peines, à bercer son enfant, à pouvoir dire je t'aime, bref si elle en a pas marre de chanter tout le temps !

Fronçant les sourcils, enfin serrant les fesses quoi, elle m'avoue ne pas avoir le cœur à la chansonnette car elle s'inquiète pour son époux, qu'elle juge Gentil… et honnête, mais qui depuis sa mise en examen voit s'éloigner son retour en grâce présidentiel.

Bling-Bling !… C'est alors consonne à la porte et que je la voyelle se précipiter.

Quatre consonnes et trois voyelles, mais c'est bien sûr, c'est Raphaël !

Cahuzac / Kim Jong-un

Invité : Lorànt Deutsch

Vous ne le savez peut-être pas, et si vous le saviez vous auriez pu le dire dès le mois de décembre, ça nous aurait fait gagner du temps, mais la semaine prochaine l'affaire Cahuzac connaîtra un rebondissement majeur, de quoi mettre Jérôme à l'index, c'est dire si j'ai mis le doigt sur quelque chose ! Sur quoi, j'en sais encore rien, mais je le tiens quand même d'une source très sûre, qui m'a laissé entendre que peut-être, voire même probablement, et sinon qu'importe.

Bref, suivant l'Edwy commandement, celui-là même qui a mis le gouvernement dans la Moïse, je pris la direction de Genève en métro, l'helvète underground, afin de rencontrer Jérome Cahuzac en personne. Tellement en personne d'ailleurs, que c'est précisément personne qui est venu. Bien décidé à ne pas reculer, mais pas bien avancé non plus sur le cas Uzac, je décidai de m'éloigner du lac Léman. De ses berges et ses barges, de tourner l'alpage du roman de ce fisc caché.

Alors comme je bosse à Canal+ et que je fais désormais partie des sept milliards de personnes les plus influentes de la planète, je me suis rabattu, non pas sur Bride, mais sur Kim Jong-un, qui souffle actuellement le chaud et l'effroi sur la péninsule coréenne, afin de calmer ses ardeurs. Et quand je dis hardeur, je parle pour lui, pas porno…

Une fois arrivé à Pyongyang, l'anticapitale nord-coréenne, je monte sur un taxi !

Oui… faute de moyens, les chauffeurs n'ont pas de voiture, donc on est obligé de leur monter sur le dos. Comme j'aime les véhicules de collection, j'enfourche une gentille p'tite vieille de quatre-vingt-sept ans, tout à fait sympathique, mais à peine arrivés au coin de la rue, paf, on crève ! Enfin, elle surtout.

Je me dirigeai alors à pied vers le Monogone, l'équivalent du Pentagone mais avec un seul côté, où un aide de camp, dira-t-on… vint m'accueillir en m'informant que Kim'aime me suive sur Twitter, car il apprécie les gens qui s'expriment avec peu de caractère.

Après quelques heures de marche, au détour d'un couloir, surprise : « Kim there » ! Il m'accueille avec un grand sourire, enfin grand, je m'emballe, si ça se trouve ses dents du dessus venaient de pousser... et m'invite à m'allonger comme lui sur une chaise courte afin de discuter de tout et de rien, lui se chargeant de tout et moi du reste.

Alors il commence d'emblée par ne rien me dire, du coup, ben je dis rien non plus pour pas l'interrompre ! Un ange passe, puis un deuxième, un troisième... au point de créer un embouté-ange. Alors que le silence bat son plein, il le brise, car tant va la cruche à l'eau que... oui bon, à un moment donné quoi, il tousse. Par politesse je tousse aussi, en français. Il décide de re-tousser pour avoir le dernier mot. Je tente alors un coup de poker en terminant par une quinte...

Puis, sans crier gare, de toute façon c'est toujours assez ridicule de crier gare, sauf à un chauffeur de taxi, mais je m'égare, bref... il se lève, me bouscule, et me propose de déjeuner dans la cuisine, joliment décorée par le portrait de ses aïeux accrochés aux murs. Il y a là son grand-père : Kim-Kong, aux côtés de Kim Mérad, un cousin comédien qui a joué dans *Les Coréistes*. Et puis surtout sa mère : Kim Wilde, que la Corée adore.

Tout en dégustant un Burger-Kim et une chicorée rehaussée d'un filet d'huile d'ogive, j'évoque alors la crise actuelle. Il me précise qu'on ne doit pas y voir d'intentions belliqueuses car il n'utilisera que des missiles tapis-tapis, c'est comme des missiles sol-sol mais tout doux, car il veut juste faire la moue, pas la guerre.

Bon, comme il commençait à me Séoûler, je lui dis que ses missiles il pouvait se les Corée quelque part, et décidai de me barrer vite fait afin que le Kim ne me bassine guère… plus !

Festival de Cannes

Qui dit cinéma, dit Cannes et qui dit Cannes dit... Cannes !

Alors que le Festival touche à sa fin – ce qui me fait penser que j'ai toujours pas reçu mon carton d'invitation pour la cérémonie d'ouverture –, j'ai décidé d'aller voir si la Croisette s'amuse. Ce bord de mer qui est un peu à Canal+ ce que les urgences gériatriques sont à France 3 : une magnifique vitrine.

A peine débarqué à l'aéroport de Nice, je saute dans la voiture officielle mise à ma disposition par... personne. Une superbe DS5 hybride décapotable, qui avec ses pointes à 20 km/h me mène cheveux au vent en direction de Cannes et ses nymphettes. Dont il ne reste d'ailleurs que les « phettes », les nymphes ayant déserté les plages depuis des lustres... Lustres qui illuminaient cette époque où Bardot n'était pas très à-droite, ce qui la rendait charmante. De celle où le Grand

Journal s'appelait *France Soir*, de celle où Deneuve l'était encore, de ce temps où Simone s'ignorait… à la vue d'Yves montant les marches. De cette époque où l'on déambulait sur la plage avec des scandales, de ces soirées où Saint Laurent se promenait avec son Bergé, de ces matins où je ne racontais pas encore n'importe quoi. Bref… qui n'existait pas encore. Bref ! Histoire d'aller à l'essentiel, je demande au chauffeur si on peut aller un peu plus vite. Il me dit que pour ça il faudrait que je descende. OK…

Deux jours plus tard, me voici donc au pied du tapis rouge où une meute de photographes en délire scande mon nom ! Je leur précise que je ne m'appelle pas du tout « dégage, connard ! ». Arrivé en haut de l'escalier, ravi, Jacob m'accueille chaleureusement en me demandant de me barrer ! Une coutume réservée aux invités de marque ; ils ont fait pareil avec Lars von Trier l'année dernière. A ses côtés, je vois Thierry Frémaux frémir à l'idée que je puisse voler la vedette au président du jury ; un barbu dont il a luimême oublié le nom. Je lui rappelle qu'il s'agit de Super Nanni, qui a quand même bien changé depuis son décès. Ayant compris que j'étais un faux mince mais un vrai lourd, Thierry me propose de faire la descente des marches la tête en avant et sans toucher le sol, ce qui est tout aussi prestigieux, bien plus original et beaucoup plus rapide...

Vu l'heure, je me dis que j'ai encore le temps de me rendre à la soirée caritative parrainée par Sharon Stone... A qui, dès mon arrivée, je présente mes sincères condoléances pour le départ de Charden...

Afin d'éviter de nouveaux incidents, on s'empresse de m'installer à une table VIP, où j'ai la chance d'être assis entre Mariah Carey et... Mariah Carey, Carey qui s'est pas mal arrondie avec le temps. Ne me sentant pas en odeur de sainteté avé Mariah, je m'extirpe d'emblée de son décolleté avec l'aide de trois serveurs et me dirige sur la piste de danse où un bouledogue fait une crise d'épilepsie.

En fait c'est Régine qui s'excite dans un twist à gaine.

Je préfère m'en aller pudiquement et rejoins au bar une bande de Sean... Sean Penn, Sean Connery et Sean-viève de Fontenay.

Je devine que Sean peine à s'amuser. Dans un soupir, il m'explique que le Festival n'est plus ce qu'il était, que tout n'est plus qu'apparence, paillettes et frivolité, alors qu'avant tout était... Eh ben, apparence, paillettes et frivolité, mais avant. *Before...*

J'essaye de le consoler en lui proposant de faire un tour de DS5, enfin, dès qu'elle sera rechargée, aux alentours du 3 juin. Sean dit pas non, mais pas oui non plus, et s'en va rejoindre son hôtel, rapidement suivi par Geneviève, sur le chapeau de roue.

Dehors, la lumière revient déjà, le film est terminé.

Au loin résonne une sirène de pompiers. Régine vient de se déboîter la hanche.
Encore une qui ne va pas pouvoir se passer de canne...

Fidel Castro

Invité : Florian Philippot

Vous le savez peut-être, et si vous le savez pas, on va finir par le savoir, mais le 3 février prochain auront lieu à Cuba les élections législatives... dont les résultats viennent de nous parvenir. Elles confortent le rôle de Raul, fidèle à Fidel, sur son trône de Président. Castro-entérine... ainsi une tradition familiale qui veut que chez Castro y a tout ce qu'il faut... Et donc pourquoi aller voir ailleurs si j'y Suisse ? Si jusqu'à maintenant vous avez pas compris où je veux en arriver, c'est normal parce que je suis pas encore parti !

Paré de mon plus beau T-shirt du Che et Gabana, je partis la tête haute à Cu-ba avec mon guide très spirituel : Christophe de Ch'avanne, grand connaisseur de laa-vanne.

A peine atterri, un p'tit du Cubain, un cubi quoi, vint nous accueillir avec une banderole « Castro, pauv'con », en hommage à l'ex-lider minimo. Je fis fi de ce message, car vous le savez, « Le Supplément » n'est pas magazine à baisser les bras. Déjà parce qu'un magazine n'a pas de bras mais beaucoup de petites mains, et surtout parce que cette phrase me donn'hallyday ou donna Summer, bref Madonna encore plus l'envie de rencontrer les huiles du régime, la famille Castrol.

C'est la très jolie fille du Lider Máximo, Laetitia Castra, une comédienne qui joue un Raul dans le remake cubain des *InFidel*, qui se chargea de nous emmener en limousine en direction du port car le Président souhaitait m'emmener en bateau. Six heures plus tard, oui les vaches ça broute, nous embarquâmes et prirent le large.

C'est alors que Raul vint à ma rencontre en me proposant un Che à la menthe en guise de bienvenue. Voguant sur les flots, il me fit découvrir sur ma gauche la fameuse baie des Cochons, tandis qu'à ma droite, à l'extrême droite même, Florian bon les embruns, batifolait un banc de gros poissons où je reconnus Phl'ippo le Dauphin, de Marine... Mais cétacé me dit Raul, passons à autre chose.

Voyant midi à sa porte, alors que moi j'avais 14 heures à ma montre, il m'emmena déjeuner dans sa cabine. Bien que je n'aime pas manger é-picé, enfin pas en même temps, je fis quand même honneur au plat en dévorant l'assiette en carton. Mais alors que je m'apprêtais à reprendre un peu de nappe en papier, je me rendis compte que je n'avais toujours pas abordé les sujets sensibles qui font de moi une référence dans le milieu, et aussi un peu sur le côté. Donc, je me lance en lui demandant comment ça va, como cha-vez, si c'est pas trop dur el boulotte, tout ça, des questions un peu rentre-dedans, quoi !

Le voyant embarrassé par des questions aussi pertinentes, j'embraye alors sur Fidel et lui avoue être un peu déçu de ne pas l'avoir rencontré. Un trémolo dans la voix, il m'explique que son frère n'est plus l'homme qu'il a été et qu'aujourd'hui il bricole un peu et boit beaucoup. Il partage son temps entre la scie et le Martell.

Au moment du dessert, comprenant que c'est pain perdu, je décide alors de repartir comme je suis arrivé, mais dans l'autre sens sinon je serais revenu, conscient qu'il faudra plus d'un combat livrer pour un jour boire à la santé de Cuba libre.

Cérémonie des César

Invitée : Tristane Banon

Vous ne le savez peut-être pas, et si vous le savez toujours pas à la fin de cette chronique, c'est que vous vous êtes trompé de chaîne, mais vendredi prochain aura lieu la cérémonie des César, l'équivalent français des Oscars, inspirés des Sept d'Or, pompés sur les Bafta, qui avaient eux-mêmes plagié le Golden Vendée Globe... pour ceux qui prendraient la mer au moment où je vous parle.

Bref, tout ça pour vous dire n'importe quoi, déjà, mais surtout que la grande fête du cinéma sera l'occasion de récompenser cette fois encore, ou une fois seulement pour les moins chanceux, tous les césariens et césariennes de l'année écoulée.

Canal+ étant par essence le moteur du cinéma français, c'est sur le dos du rapide van Diesel que je me rendis au théâtre du Châtelet malgré la pluie battante qui battait, la nuit tombante qui tombait et ma permanente qui nentait… vous demanderez à votre coiffeur ce que ça veut dire.

Une fois sur le tapis rouge j'attendis de voir débarquer l'élite du septième art, mais après cinq heures à courgetter, c'est comme poireauter mais avec une courgette, j'en avais tellement septième m'art que je rebaptisai ma chronique : « Retour vers l'intérieur ».

Comme Laurent Weil au bon déroulement de la soirée, n'y voyez aucun jeu de mots c'est pas mon genre, Laurent m'invita à le rejoindre dans le carré VP, c'est un carré où il n'y a Vraiment Personne, et m'informa qu'il me fallasse être patient avant que je puissasse espérer rencontrer quelqu'un que je connasse. Nous poursuivâmes cette discussion pleine de conjugaisons compliquées, en échangeant quelques tuyaux sur la soirée tout en fumant une Cloclope avec no-smoking de circonstance.

Laurent m'apprit alors que Gérard serait parmi nous car déjà Depardieu rase Poutine, et que du coup Philippe-Torretor-de-l'ouvrir fera l'impasse sur la soirée. Tout comme Barthélemy, qui sera à Maurice, Richard dans le Berry, ou encore Pol-enski à la montagne.

Alors une fois qu'on avait fait le tour de la question, on revint au point de départ de la réponse et du coup j'attendais encore, puis j'attendis, puis j'attendus. Après avoir conjugué toutes les attentes, à ma grande surprise je vis entrer le grand Jacques Audiard, dont la carrière n'aurait pas rendu amer Michel. En l'apercevant, de battre mon cœur s'est arrêté, et comme en même temps de me porter mes jambes ont oublié, ben de tout son long m'a gueule s'est vautrée et du coup sans me voir il est passé...

Heureusement, Marion Cotillard, ou Marie Cotillons pour les intimes, vint m'aider à me relever en me disant que je faisais super bien le mort, elle qui s'entraîne chaque jour en regardant Guillaume caner. Guillaume qui vint également prêter main-forte, car il n'a pas l'habitude de laisser les grands durs tomber et encore moins les p'tits mous choirs...

Huit fois debout je vis passer Omar. Me revint alors à l'esprit la demande de ma mère : « *Ramène-*

moi un autographe d'Omar Saï ! » « Sy, maman, Sy… » J'aperçus ensuite Woody vers qui je courus à perdre haleine. Je croisai encore Daniel Auteuil et repensai avec émotion à « Banon des sources ».

Réajustant mon nœud pape en prévision de la semaine sainte, je choisis de quitter les feux de la rampe pour aller me réchauffer sous les lumières de la ville…

Sur le chemin du retour j'entendis quelques notes. Le président Jamel s'était mis à jouer du piano Debbouze. La fête pouvait commencer et Antoine ouvrir le Festival de Caunes.

Jacques Chirac

Invitées : Frigide Barjot, Loubna Méliane

Vous le savez sûrement pas, et même si vous le savez, arrêtez de me contredire, mais dans un peu plus de trois heures, ou un peu moins de quatre heures, enfin dans trois heures et demie quoi, Michael Schumacher, aussi appelé Schumi ou le Kayser... ou Marie-Myriam si c'est plus facile pour vous, prendra sa retraite. C'est donc avec émotion que je partis le rencontrer dans un Formule 1 proche de chez moi. Une fois arrivé à l'hôtel, je demande au réceptionniste à voir le Champion. Il me précise alors qu'il est fermé mais qu'il y a un Carrefour Market ouvert juste en face... Grosjean comme Romain, je prends conscience que j'ai l'air ridicule voire complètement con, et change l'épaule de mon fusil en me rabattant sur Jacques Chirac qui s'apprête à fêter l'équivalent de cinq cent vingt ans pour un labrador. Ce qui équivaut à quatre-vingts ans chez les humains ou vingt-deux ans chez Isabelle Adjani…

Afin de marquer le coup, nous décidâmes, enfin je décidâme, de réunir quelques cadeaux à offrir à Jacques de la part de notre part. C'est donc chargé d'une paire de talons, d'un exemplaire du *Figaro* offert par Nicolas, au demeurant bon joueur, d'un Bounty entamé et d'une photo dédicacée de Jean-Michel Aphatie que je me rendis chez le Président, dans l'appartement prêté par les frères Hariri : Fifi et Loulou.

Arrivé quai Voltaire, je sonne en frappant à la porte-fenêtre. Après trois quarts d'heure, ne voyant venir personne, je comprends qu'en fait y a pas de fenêtre, pas de porte et que je peux donc entrer comme dans Jean Moulin ! A peine à l'intérieur, dans la petite pièce jaune… j'attendis, j'attendis, puis Jacques a dit : entrez ! Alors même si Debré ou de loin, le grand Jacques chancelle, il prend malgré tout la peine de m'accueillir personnellement, et en guise de bienvenue demande à celui qui fut son ministre des Affaires étranges, Dominique, deux viles pintes de Corona. Tout en buvant ma petite mousse, je découvre la magnifique collection d'art premier composée de mammouths en tout genre qui orne les murs. L'ex-Président me précise alors qu'il s'agit de photos de Bernadette. Bernadette à Brégançon, Bernadette sur le perron, Bernadette sous Bayrou…

A mon œil dubitati, c'est comme dubitatif mais avec une faute de frappe, il reste sans voix… Enfin, plus ou moins, on attend encore le résultat de la Commission de contrôle. Comme il dit rien, j'en profite pour l'interrompre et lui dire que je le trouve dans une forme assez paralympique pour son âge. A ces mots, sa fille, Mme Claude, débarque en me demandant ce qu'est ce bordel ! Sans avoir le temps de répondre, ni une, ni deux, ni trois, ni quatre, elle me colle une droite décomplexée dans la gueule.

Je prends alors mes jambes à mon cou, ce qui est quand même assez ridicule quand on y pense, parce qu'on court moins bien, et me retrouve à la rue où je me mets à marcher seul et dépité. C'est alors qu'un Copé pas très sport s'arrête à ma hauteur.

Assis à la place du mort, je reconnais l'ancien Premier, sinistre, qui me propose de me ramener.

En montant à bord je lance au chauffeur… courage Fillon !

Tim Cook

Invités : Eric Dupond-Moretti, Florence Aubenas, Liseron Boudoul, Gwendoline Debono

Comme vous le savez sûrement, et si vous ne le savez pas, eh bien, vous allez le savoir, le 12 septembre prochain Apple tiendra une conférence de presse très attendue, surtout par les gens qui l'attendent...

Alors, bien sûr, les spéculations vont bon train... Et faut y aller pour croiser une spéculation ou un spéculum dans le train. Mais je m'égare, ce qui en parlant de train n'est qu'à moitié hors sujet...

Alors comme j'ai autre chose à foutre le 12 septembre, j'ai décidé de prendre les devants, ou les arrières, question de point de vue, et de demander directement à Tim Cook, celui qui fait le Job de Steve, ce qu'il annoncera lors de cette Keynote qui a lieu dans la Silicon Valley, ou « Vallée du pléonasme » en français.

Arrivé à l'entrée du campus, je m'adresse à un vigile, qui était en train de vigiler... et de mon anglais le plus irréprochable, c'est-à-dire inexistant, je lui dis « Hi ! », il me répond « Phone ! ». Je lui précise que je viens de la part de MyTena, l'Oprah Winfrey du Pays basque... Il m'indique alors la direction des toilettes. J'ai compris plus tard que « my tena » voulait dire en anglais « ma protection urinaire », ce qui est très humiliant quand on y pense ! C'est pourquoi je vous demanderai de ne plus y penser.

Bref, après moult péripéties palpitantes que vous trouverez sur mon DVD, me voici face à Tim Cook, qui ressemble étonnamment à... rien. Alors, pour ceux qui ne le remettraient pas, Tim Cook, c'est le gars qui a une petite chemise branlante et des lunettes de bûcheron, ou l'inverse. A peine assis, il me demande si je veux de la compote, mais comme je ne suis pas du genre à abuser, je lui demande plutôt une blanquette, sa carte bleue, et surtout de me parler des innovations Samsung.

Il me dévoile alors quelques nouvelles applications dont l'i-elkébir : un égorgeur de MacBoucs virtuels ; l'i-Zheimer : dont il a oublié l'utilité ; ou encore l'i-Aïe-laï-laï-laï : un simulateur d'Enrico Macias qui sert pas à grand-chose, c'est dire s'il est bien foutu.

Fasciné par tant de nouveautés dans le n'importe quoi, je lui glisse une réflexion que j'ai eue *« un beau jour, ou peut-être une nuit, quand près d'un lac je m'étais endormi »*...

Et si l'avenir du téléphone ce serait pas tout simplement le téléphone ? Du latin « *phonare, phonanus* », débarrassé de ces applications qui nous éloignent de ce que nous sommes et ce que nous fûmes... même si c'est dangereux pour la santé.

Là-dessus, Tim tique et du tac au tac me dit : « Et si ce n'était pas les téléphones qu'il fallait changer, mais les gens ? » Il me confie vouloir revenir à l'origine de la marque en se lançant dans la culture des vergers... ou vergétures pour ceux qui ont fait agronomie première langue.

A ces mots il se lève, ce qui m'étonne d'autant plus qu'il était pas assis, et me dit que c'est justement avec des si qu'on fait des « si phones » !...

Alain Delon

Invités: *Michel Tarin, Michèle Tabarot*

Vous le savez sûrement, et si vous ne le savez pas, c'est normal parce que j'ai encore rien dit, mais la semaine prochaine aura lieu l'élection de la nouvelle Miss France, non pas à Bourg-la-Reine, heureusement pour elle, mais à Limoges. Preuve qu'il n'y a aucun lien de cause à effet et qu'il vaut mieux tourner sept fois sa langue dans la bouche de son voisin plutôt que de commencer des phrases qu'on ne sait pas conclure autrement que par... voilà !

Assez au fait des canons de beauté, enfin surtout des boulets, c'est tout naturellement que m'incomba... « *m'incomba, elle danse tous les soirs* »... la tâche de rencontrer celle qui incarnera l'élégance à la française, avec tout ce que ça comporte de E, de L, de A, consonne, voyelle, consonne..., huit lettres, pas mieux.

72

Alors, comme on n'est jamais si bien servi que par moi-même, je sautai dans le premier TGV pour Limoges. Réalisant un peu tard qu'aucun train ne s'y rendait, je dus convaincre le conducteur de la micheline de prendre l'autoroute. Arrivé au péage, faute de monnaie, je descendis de la rame, pas gai, afin d'emprunter le bus des Miss, qu'une roussos conduisait flanquée d'une écharpe « Miss France » en guise de ceinture de sécurité. Après avoir débarqué Miss Corse, une bombe…, nous démarrâmes sur le chapeau de roue de Geneviève.

Grâce à mon slip en Téflon, je parvins à rester digne au millieu de ces sublimes créatures, toutes plus belles les unes que les autres, surtout les autres. Tout en marchant vers l'arrière du bus qui allait de l'avant, je rejoignis le jury présidé par Alain Delon en personne, qui même en personne est quand même quelqu'un. Alain et Delon étaient assis à côté de son inséparable Mireille Darc et de Nikos Aliagas, dont il ne parvient pas à se séparer par contre.

Je demande alors à celui qui fut Rocco dans Minute Soup ce qu'il fout là, et s'il ferait pas mieux de passer ses week-ends à Zuydcoote avec son ami Jean-Paul. Il m'explique que c'est un grand honneur pour lui, et surtout pour la France, de remettre le titre de Miss Alain Delon, aussi appelé prix Nobel du physique, et qu'il a d'ailleurs lui-même fixé le critère de sélection : mesurer au minimum un mètre soixante-dix Delon…

Dans sa grande bonté, Alain m'offre alors un échantillon d'Eau sauvage. En fait il me postillonne dans la gueule, et tout en posant la main sur ma cuisse me demande si participer à un concours de beauté était un rêve de petite fille. Je lui conseille alors de mettre sa monture Krys, et d'un chuchotement l'invite à aller voir ailleurs si j'y suis.

J'en profitai donc pour retrouver Mireille, et comme Darc-m'adore elle me propose de m'asseoir à ses côtés sur son siège en skaï Walker. On épancha ainsi nos vies… moi lui expliquant combien je l'avais aimée dans *Le Grand Blond*, elle me répondit la larme à son œil gauche – je la voyais de profil – combien elle m'avait admiré dans la pub Bbox. Nous parlâmes aussi de Nikos, qui peine décidément à trouver sa place dans ce texte.

Alain Delon

Vexé de ne pas m'avoir trouvé ailleurs si j'y étais, Alain revint soudainement à la charge pour me prouver que le samouraï pouvait encore envoyer la sauce. Pris d'une peur bleue, tel M. Klein, j'en restai là, car je ne voulais pas qu'il se mette à faire le malin Delon.

Gérard Depardieu

Vous ne le savez sûrement pas et même si vous le savez, de quoi je me mêle, mais mercredi sortira le prochain *Astérix et périls*. Suite des aventures du célèbre petit gaulé habitué des films en X, autrefois apparu sous les traits de Christian Clavier, hélas parti à Londres, et de Clovis Cornillac, hélas resté en France. J'ai donc été à la rencontre de Gérard Depardieu, digne représentant de la Gaule… de bois, fierté de Châteauroux à égalité avec le pâté de pommes de terre et Michel Denisot. Dans le désordre.

Alors, malgré l'extrême notoriété que me procurent mes passages dimanchicals…, dimanchicaux !, mon budget voyage a été sucré au profit de l'installation d'un distributeur de soupe à l'oignon dans le bureau de Maïtena. C'est donc grâce à une sympathique chauffeuse routière, qui avait plus de gencives que de dents, que j'ai rejoint Gérard sur son lieu de vacances : un village d'irréduc-

tibles gaullistes qui résiste encore à l'envahisseur
hollandais.

A mon arrivée, je tombe sur Luchini décla-
mant du Céline… Dion à tue-tête, très excité à la
perspective de décrocher un César pour son
interprétation de ce Jules Romain… Un peu plus
loin, j'aperçois Gégé, occupé à arroser sa vigne
sans arrosoir… Il va pour me serrer la main, je
lui propose plutôt la bise et l'invite à parler de
ses projets futurs.

Il me dit qu'il va bientôt tourner la suite d'*Astérix* et m'annonce en exclusivité que Deneuve
y jouera la reine d'Angleterre ! Je lui rappelle
que ça c'est déjà fait !
Il marque un temps et vérifie son agenda.
Confus, il m'avoue qu'à force d'enchaîner les
tournages il s'y perd un peu, et qu'il lui arrive
même de se réveiller en pleine nuit en se demandant s'il est en train de jouer quelqu'un qui dort
ou s'il est lui-même en train de dormir. A ces
mots, il s'éloigne, puis revient en me demandant
s'il peut la refaire parce qu'il est passé à côté de
l'émotion du personnage.

Je le rassure et profite de l'avoir sur la main,
ça fait mal…, pour lui demander quel rôle, à

part le sien, l'a le plus marqué dans sa carrière. Jean de Florette ? Cyrano ? Danton ? « Danton quoi ? » me demande-t-il.

Plutôt que de répondre, je lui dis devoir m'en aller histoire de pas rater le dernier métro...

Dieu

Sortant d'un cinéma après avoir vu *Christ et Chuchotements*, je me suis dit qu'ayant rencontré Bachar : dieu du carnage ; Angelina : déesse de l'amour ; King Jong-un : dieu vivant ; DSK : Dieu me pardonne, il me fallait rencontrer Dieu tout court.

Oui, parfaitement ! Suffit simplement d'avoir un carnet et de s'en servir avec beaucoup d'adresse. Pourquoi Dieu et pas Elisabeth Tessier ? me direz-vous. Parce que Dieu sait ce qu'on ignore, alors qu'Elisabeth ignore ce que tout le monde sait.

Comme Dieu est amour, c'est donc tout naturellement sur une terre de partage, où seul règne le don de soi, que je me suis rendu afin de Le rencontrer.

A peine débarqué à Pigalle... Oui, tous les chemins mènent à Dieu, même si tous les dieux ne mènent pas à Rome, une jeune nonne tout à fait amène m'invite à entrer dans sa petite chapelle aux rideaux rouges et à la forte odeur païenne afin de partager avec moi sa passion du Christ. Enfin, c'est ce que j'ai compris au début, avant de réaliser que c'est elle qui s'appelait Jésusse... Ce comportement pas très catholique m'incita à quitter les lieux et à communier avec dame Nature.

Arrivé au bois de Boulogne, alors que je m'interroge sur le sens de mon vit, un Rabbin des bois qui passait par là me conseille de rencontrer Raël Leforestier, derrière un chêne. Me frayant un chemin parmi les glands, je le découvre simplement vêtu de son pyjama en aluminium, qui faisait papillote au soleil, et lui demande s'il connaît un moyen de rencontrer Dieu en personne.

Etant en contact permanent avec Gilgamek, un élohim résidant aux confins de la constellation de la tartiflette exaltée, créateur de la matière, de l'antimatière et de la Fiat Tipo, il me précise qu'il se fera un plaisir de m'aider en échange d'un Rib, de ma femme et d'un bon d'achat Jardiland. Je lui dis que ça me fait une belle jambe... Il me répond qu'effectivement je ne suis pas mal foutu du côté droit.

Fleurant l'arnaque et la vaseline, je passe mon chemin. C'est alors que j'aperçus au loin l'étoile du Berger. C'est peut-être un détail pour vous mais pour moi ça veut dire beaucoup... Comme je ne suis pas le dernier des abrutis – du moins tant que Michael Vendetta est toujours en vie –, je la suis et Sheila que je tombe enfin, non pas sur Ringo, mais sur la Sainte-Demeure du Tout-Puissant : « Chez Dieu et Maryvonne, bar-tabac, PMU, sandwichs à emporter »...

J'entre et demande à voir le patron. Derrière la caisse un jeune pieux élégamment habillé en Christ'ian Lacroix me dit qu'il n'est pas là et que sa maman est partie à Lourdes. Pris d'un doute, je lui demande s'il est bien le fils de Dieu. Il me précise qu'étant né de père inconnu, il serait bien en peine de le dire. Sa maman lui a raconté qu'un jour un Monsieur tout nu avec des ailes dans le dos avait profité de l'absence de Jo, parti ouvrir une succursale Lapeyre à Rouen, pour venir lui rendre visite en pleine nuit. Le reste, il le tient de son oncle, Yvon-Gilles, qui n'est pas le dernier pour raconter des conneries...

Comprenant que ma quête est vaine, je commande un Judas-nana puis m'en retourne en ruminant mon échec. Face à ma détresse, le jeune – à qui l'on n'aurait pourtant pas cru s'y fier – m'invite à rester déjeuner avec onze de ses copains.

Voyant déjà la Cène, je déclinai poliment et refermai l'apôtre derrière moi...

Céline Dion

Invités : Josef Schovanec, Mohamed Sifaoui

Je ne le savais pas, et si vous le saviez, c'est pas très gentil de pas me prévenir avec tout ce que je fais pour vous, mais samedi prochain se tiendra le bal des Débutantes. Un événement sans aucun intérêt, sauf quand on sait pas comment débuter un texte...

Alors qui dit bal, dit balançoire, bal magique, bal masqué ohé-ohé capitaine abandonné. Oui, enfin bon... Cette année, c'est Silvester Stallone qui conduira sa fille Sophia Rose, non pas dans un vase, mais au bal du Crillon, qui une fois repeint fera un très joli Crillon de couleurs. L'endroit idéal pour signer son entrée dans le monde très fermé de la jet-set. Tellement fermé d'ailleurs que quand j'ai essayé de rentrer, ben la porte était fermée... Du coup, faute de retour vers le futur, je fis un retour vers le mois dernier à l'occasion de la journée mondiale des sourds, JOURNÉE MONDIALE DES SOURDS pour ceux que ça concerne. Un événement hélas passé sous silence, à l'inverse malheureusement de l'émission spéciale que Michel Drucker consacrera à Céline Dion samedi en huit... enfin, en six si on part d'aujourd'hui.

Comme Acadien vaut mieux que deux tu l'auras, si vous savez ce que ça veut dire appelez-moi, j'ai décidé de rencontrer The Voice. Non pas la Carrey, qui s'est arrondie avec le temps, mais la Céline, qui a marqué l'histoire de la musique, avec un grand Mu.

Par souci d'économies je décidai alors de rejoindre le Québec en trampoline, ce qui est assez facile si on prend de l'élan et qu'on est sponsorisé par Red Bull.
C'est donc après quelques foulées que je James Bondi ! Ce qui veut dire faire un énorme bond en « Graig »..., et atterris quelques jours plus tard à Montréal sur Le Bon, non pas chemin, mais Charlotte, qui m'emmena auprès de Céline.

Je la découvris dans son salon, assise comme un divan sur la diva, ou l'inverse, à côté d'un de ses jumeaux, un jumal donc, auquel je fis plein de papouilles sur son petit nez, ses petites joues… Arrivé à la barbe je réalisai qu'il s'agissait de René.

Un Angelil passa… J'attendis qu'il fît son rot et le laissa vaquer à son… vaquage.

Ben oui, passé une certaine heure ça se dit !

Enfin seul avec nous deux, je remarquai à la taille des dents de Céline qu'elle n'avait d'yeux que pour moi, je sais pas très ce que ça veut dire non plus…

S'approchant dangereusement de mon nez, qui est quand même encore à une bonne demi-heure de ma bouche, elle m'avoua être très friande du « Supplément », au point de vouloir partager la scène avec moi à Vegas pour les fêtes de Noël !

Je compris assez vite qu'en fait elle voulait que je fasse l'âne dans la crèche !

Vexé, je fis savoir à Céline que je ne souhaitais pas de collaboration. C'est à dos de Charlotte que je rentrai sur-le-champ car j'avais encore à effectuer un long voyage au bout de la nuit…

Michel Drucker

Invités : Yves Derai, Frédéric Salat-Baroux

Vous le savez sûrement et si vous ne le savez pas, il serait peut-être temps de vous inquiéter, mais le 21 décembre prochain, c'est la fin du monde selon le calendrier maya, la fin des frites selon le calendrier mayo, et la Saint-Pierre selon le calendrier des pompiers, mais ça à la limite on s'en fout... Fin du monde qui sera sûrement synonyme de mort atroce et de terribles souffrances... Dit comme ça, c'est un peu rude, mais autrement dit aussi. Alors j'ai décidé de prendre mon courage à deux mains, même si rien n'est moins sûr que demain... faut suivre, afin de sauver ma rubrique. Ben oui, parce que « Retour vers le futur » sans futur... t'as vite l'air d'un con.

Le hasard a alors voulu que je découvre dans *Télé 5 Jours*, fin du monde oblige, que France 2

allait diffuser un téléfilm adapté de l'autobio-
graphie de Michel Drucker intitulée *Qu'est-ce
qu'on va faire de toi ?* A ne pas confondre avec
« Qu'est-ce qu'on va faire du toit ? » : en page 12
du catalogue Bricorama. Je décidai donc de partir
à la rencontre de Michel Drucker, connu aussi
sous le nom de Michel Drucker dans les milieux
autorisés, ou « Micker Druchel » dans des milieux
moins autorisés et plus dysclexiques.

Comme nous sommes à la veille de la veille
de Noël, qui est aux catholiques ce que l'anniversaire de Jésus est aux chrétiens, c'est dans
une crèche, où il prépare l'enregistrement d'une
spéciale « Vraiment Vivement Dimanche », que
Michel m'a donné rendez-vous. Ayant mis la
charrue avant les rennes, c'est à pied que je dus
m'y rendre, sans GPS, en suivant l'étoile du Berger. Oui, c'est peut-être un détail pour vous
mais pour moi ça veut dire beaucoup...

Une fois arrivé à bon porc, ou à bon bœuf dans
le cas précis, enfin sur le parking des anges, quoi,
je découvris Michel qui tentait de faire un cré-
neau avec son vélo d'appartement. Une fois garé,
il me proposa de le suivre dans sa loge où nous
commençâmes à discuter de tout et de rien, lui se
chargeant du tout et moi du reste. J'en profitai

pour jeter un œil aux photos accrochées au mur. Lui et Line Renaud petite fille, lui et l'échographie de Johnny Hallyday, lui à la première de Charles Aznavour, lui à la dernière de Charles Aznavour...

Réalisant soudain que Michel est toujours en train de parler dans le vide, je l'interromps et lui demande ce que ça lui fait de voir sa vie portée à l'écran. Il me fait remarquer que ça fait quand même dix bonnes minutes qu'il est en train de me l'expliquer... Histoire de me rattraper, je lui dis alors qu'il a toujours fait figure de modèle pour moi depuis « L'académie des neufs » et « Le petit théâtre de Bouvard ».

Un ange passe. Celui du parking probablement.

C'est alors que Catherine l'aborde, et lui demande de se rendre sur le plateau, où je découvre un Michel Sapin illuminé, décoré avec les boules de Cahuzac, qui les a bien acrochées depuis le contentieux du compte en Suisse.

Juste avant l'enregistrement, où différents artistes vont chanter des santons de Noël, je demande à celui qui a survécu à l'extinction des dinosaures, de l'Empire romain, de l'ORTF et de

Bruno Masure, quel est son conseil pour survivre à l'apocalypse.

Il me confie qu'il suffit de se rendre en Belgique, un lieu sûr où se réfugier dans des logements de fortune, et où par solidarité on marche main dans la main, deux par Dieu. (Gérard, si tu nous regardes…)

Nous sommes alors interrompus par les douze coups de minuit. Christ et Chuchotements déchirent la nuit de Noël. Il est né le divin enfant.

Mais qu'est-ce qu'on va faire de lui ?…

Bachar el-Assad

Pardon, mais là, faut être honnête, j'en tiens une grosse, comme on dit dans le métier ! Une énoorme. Je viens de rencontrer Bachar el-Assad !

Vous imaginez bien que, compte tenu des vacances de Noël, M. el-Assad était difficilement joignable par la voie officielle. Du coup, je lui ai envoyé un mail, tout simplement... bachar-el-ass@msn.sy

Un vol à Damas plus tard et me voici en face d'un homme très simple, très cool, charmant, super accessible en fait. Bien loin de l'image un peu austère qu'on se fait de lui... Et avec une jolie moustache en plus. Ça se perd la moustache chez les chefs d'Etat. Mais attention, avec un poil trop fin, on voit à travers et ça fait sale. Alors que chez lui non, ça fait rassurant, proche du peuple...

Bref, j'arrive au palais, et là, tout de suite il me saute dessus pour me proposer un jus de tomate ! Bon, vu que je suis pas dingue des tomates, je demande un jus de pomme. Après même pas trois minutes, qu'est-ce que je reçois ? Eh ben, un jus de tomate !

On s'installe dans le petit salon, il s'excuse pour le bruit dehors – des jeunes qui se marrent, qui jouent. Il m'explique que c'est une tradition en Syrie : le jeu du « Je te tiens tu me tiens par la barbichette ». Tu tiens le menton d'un Syrien et syrie il a une tapette. Là par exemple c'est le festival des tapettes, tout le monde se marre, ils sont morts de rire. Le quiproquo vient de là en fait.

Ensuite il passe à la deuxième question, puis la troisième, la quatrième… Alors que j'avais toujours pas posé la première. Sacré Bachar… On échange encore deux, trois banalités, je lui demande si le printemps arabe a bien bourgeonné, tout ça. Il me répond qu'il en a rien à péter et qu'il préfère l'été indien !

Et voilà qu'il se met à chanter : « On ira, où je voudrai, quand je voudrai, et l'on m'aimera encore lorsque tout le monde sera mort. » Personnellement, je ne suis pas hyperfan de cette chanson de Joe Dassin, il l'a bien compris…

Pour terminer, il me propose très gentiment de faire un «Je te tiens, tu me tiens... ».

Etant très rieur, j'ai préféré mettre fin à l'interview et... lui aussi d'ailleurs.

Elizabeth II

Soixante ans de règne, ça se fête. Je me suis donc embarqué dans l'Eurostar – que Marine Le Pen envisage de rebaptiser Francstar en cas de victoire – afin de rencontrer la pétillante, la délirante reine Elizabeth II !

Me voici donc sous le Channel, profitant du trajet pour photographier le paysage, quand tout à coup je sens quelqu'un me tapoter l'épaule.

Je me retourne : Elton John !... qui, soit dit en passant, avait un petit peu confondu épaule et fesse droite... Il voulait que je l'aide à glisser son piano à queue dans le porte-bagages.

Je prends le piano, il garde le reste... En plein effort, M. John m'apprend que la reine l'a invité à chanter et que, comme d'hab', il va lui balancer du « Candle in the wind ». Après la reine et le « Roi Lion », il me confie que c'est à « Leroy Merlin » qu'il va essayer de refourguer ses tubes. Je lui réponds qu'il peut refiler ce qu'il veut où il veut tant que c'est pas dans mon porte-bagages perso ! Bon… tout Elton qu'il est, je l'invite quand même à aller au wagon-bar pour voir si j'y suis, parce que… hein, voilà… faut pas non plus…

Je profite de la fin du voyage pour me plonger dans quelques tabloïds, oïds qui portent bien leur nom d'ailleurs… Et découvre à la rubrique Santé que, pour ses soixante ans de règne, la reine peut s'attendre à un « Annus Mirabilis »… Ce qui doit sûrement être un cadeau très utile pour quelqu'un qui a passé soixante années sur le trône…

Arrivé à Londres, je m'engouffre dans un taxi. Le passager me demande où je veux aller. Je lui demande de quoi je me mêle – *what are you mêling for ?* –, il insiste, je claque la porte et continue à pied. Ce n'est qu'une fois arrivé à Buckingham, sur les rotules, *on the rotules*, que j'ai compris que le passager était en fait le chauffeur, comme tous les passagers d'ailleurs.

Arrivé au Palais, je découvre les fameux Scots Guards flanqués de leur coiffe en poils de zob de gorille, directement importés des Indes par le prince Philip... connu pour son esprit colonial. Il s'était d'ailleurs opposé à la nomination de David Cameroun, lui-même successeur de Gordon Brown... qu'il trouvait beaucoup trop Brown... Mais comme on se contrefout de son avis, et de ce que je raconte... passons à Son Altesse.

Elle m'attendait gentiment dans son petit salon d'un hectare et demi.

A peine entré, elle m'invite à la suivre sur le canapé au bout de la pièce qui est à quinze minutes à vol d'oiseau. Trois quarts d'heure plus tard – ça volait mal –, elle s'assied, je m'assieds, on s'assied quoi... Rien de très...

A ses pieds, ses jambes..., et autour, quelques chiens.

Je m'excuse pour mon anglais moyen, mais étant sourde comme un pot elle me dit qu'elle s'en bat les steaks. Elle se réjouit par contre de son jubilé, que ça va être du délire, que ce matin par exemple elle a mis deux sucres dans son thé au lieu d'un, qu'elle envisage pour le lendemain d'enfiler une gaine plus serrée que d'habitude, et qu'elle va même tenter de regarder Camilla Parker Bowles de face ! Une punk quoi !

Complètement en transe, elle poursuit en me parlant de son mari et de sa position lorsqu'il pénètre dans l'arène... médiatique. Qu'une fois dedans, il s'emmerde, et que c'est là qu'elle mesure la chance d'avoir un prince consort... Je l'invite à prendre un p'tit coup de verveine pour se calmer, mais elle me dit qu'au contraire, après tant d'années de retenue, elle veut se lâcher grave, et que pour une fois elle jubile. En même temps, c'est un jubilé... Et voilà qu'elle se lève pour me faire un strip-tease. Le problème, enfin, problème, c'est qu'elle avait tellement de couches qu'après vingt minutes d'effeuillage elle était toujours habillée.

Pendant qu'elle essayait d'arracher son Damar antisudation, je remarque le prince Charles qui passait une tête pour nous saluer. J'en profite alors pour lui dire que sa maman commence un peu à travailler du diadème. Il me dit qu'il ne faut pas s'inquiéter, mais depuis que Pippa se balade sans culotte dans le Palais, elle a besoin de montrer qui porte la couronne dans cette baraque. Tu m'étonnes que Diana ait préféré couper les ponts.
Ou inversement...

Je tente de fuir cette famille de dingues. En partant je vois passer la reine avec un truc en caoutchouc assez équivoque. J'ai compris ce que c'était quand je l'ai entendue chanter à tue-tête un vibrant...

« God'... Save The Queen »...

Johnny Hallyday

Invité : Louis de Gouyon Matignon

Vous ne le savez peut-être pas – et si vous le savez ça m'inquiète –, mais la semaine prochaine Johnny se produira en concert à Montréal... Parce qu'il le vaut bien. Eh oui, la santé et la carrière de Johnny Hallyday, qu'on appelle Jauni depuis ses problèmes de foie, font partie des grands sujets de préoccupation de ce siècle aux côtés du chômage et des audiences de Laurent Romejko. Il me semblait donc essentiel de rencontrer celui que le monde entier, moins sept milliards et des poussières, nous envie.

Je l'ai rencontré dans sa demeure de quarante-deux chambres avec room-service, salle d'opération, de réanimation et de congélation. Un cinq « croix rouges » au guide Kouchner, plus connu sous le nom de « Clinique polyvalente de Saint-

Barthélemy », où je me suis rendu avec un Get 27, son avion privé.

A peine arrivé, Jauni, qui n'a pas la vie cirrhose qu'on pense, vient m'accueillir avec un grand sourire distendu. En guise de bienvenue je lui offre de la mûre… de mon jardin.

Il baisse aussitôt son pantalon en me demandant de ne pas piquer la fesse gauche parce que c'est celle qu'il utilise pour s'asseoir. Un peu embarrassé, je lui fais comprendre que je ne suis pas l'infirmier, mais heureusement Laetitia surgit pour remonter le fute de Jean-Phil, qui sait plus où Smet.

Le malentendu dissipé, je m'inquiète de le voir encore une fois hospitalisé. Il m'informe qu'on lui a trouvé un peu d'eau dans les poumons et qu'il aimerait surtout savoir où est passé le Ricard. J'en reste coi. Qui ? Moi ! Alors, pour me prouver qu'il pète la forme, il décide de me faire cinquante pompes, là, sur-le-champ ! Cinq jours plus tard, sorti du coma, je lui demande s'il ne serait pas temps de lever un peu le pied. Sans hésiter, le voilà qui lève le pied gauche pour me montrer que sa hanche artificielle tient toujours… Et c'est là qu'il se rend compte qu'en fait pas du tout…

Comme je ne suis pas du genre à abandonner les chanteurs, je le ramasse, à l'aide d'un vieux monsieur qui passait par là. J'apprendrai plus tard qu'il s'agissait de Sylvie Vartan...

Je lui demande alors quels sont ses projets. Tout en enfilant ses santiags Geox, il m'explique vouloir surfer sur la vague des chanteurs brésiliens qui nous ont gonflé tout l'été, en enregistrant quelques-uns de ses succès en portugais comme « Quoi ma goal » ou « Allumer le fao ».

En prenant congé de l'idole des jeunes, qui a super marché Auchan comme à la ville, je me dis que, malgré tout, Jauni a encore de beaux jours devant lui, surtout s'il retient la nuit...

François Hollande

Invités : Jean-Jacques Bourdin, Anne Nivat

Alors, vous le sachez sûrement – oui, cette semaine je tente une nouvelle conjugaison –, et si vous le sachez pas, ça me rassure parce que, en fin de compte, tout le monde s'en fout, mais le 6 mars prochain, François Hollande, ou Groland pour les abonnés Canal+, tentera d'escalader le sommet de Varsovie...

Afin de conseiller le Président sur l'altitude à adopter, je me rendis à l'Elysée où j'ai mes entrées et surtout mes sorties. Une fois sur place on me guida, du latin *guidare*, ou guitare en solfège, ou flûte si on s'est trompé, jusqu'au bureau de Valérie Trierweiler, mot compte triple, 82 points.

Je la découvre assise en tailleur, mais en pantalon, parée d'une ceinture noire très première

101

dame. Après s'être assurée qu'étant belge je n'était pas royaliste pour autant, elle m'emmène dans le bureau que François s'apprête à quitter pour des raisons économiques. Oui, les ors de la République sont vendus afin de boucler le budget 2012, tout comme les jardins, les dépendances, Mireille Mathieu, et les moulures du plafond qu'elle doit d'ailleurs finir de démouler. Dans un soupir, je me dis qu'à ce rythme il n'y aura plus grand-chose d'honorable dans le Faubourg...

Quelques instants plus tard, François vient m'accueillir, et tout en alimentant son poêle à bois, m'invite à m'asseoir sur une caisse de déménagement. Dans la foulée, le Président me dit qu'il voudrait bien m'offrir quelque chose à boire mais qu'il doit au préalable lancer une concertation avec les représentants syndicaux du minibar, avant de mandater une commission qui devra statuer pour savoir si l'Oasis se boit frappé ou juste froid. Conclusions qui lui seront remises sous six mois dans un rapport dont il ne va pas tenir compte puisqu'il n'y a plus que du Perrier dans le frigo. Je me contente donc de boire ses paroles, mais comme j'ai pas soif je suis vite rassasié et demande plutôt à visiter le nouveau bureau du Président qui se trouve à deux minutes à vol d'oiseau.

Préférant y aller à pied, nous arrivons donc dans le nouveau cœur du pouvoir : l'arrière-salle du « Poulet de l'Elysée », une brasserie-bar-PMU-basse-cour des comptes qui accueillera désormais les grand commis de l'Etat et les petits commis de cuisine, qui pourra aussi servir d'abri antiatomique si on met du papier bulle devant les fenêtres.

Afin de cuisiner le Président, on se met à table, et comme la spécialité c'est la volaille, je commande un filet de bœuf pur sang casaque rouge. Après avoir échangé deux, trois frites et quelques banalités, j'évoque l'offensive au Mali et la soudaine détermination dont l'exécutif a fait preuve. Très fier malgré le morceau de pintade coincé entre ses dents, il m'explique qu'il en a appelé, comme François Mitterrand, aux forces de l'Esprit, en allant brûler quelques cierges pour trouver force et combativité. Des cierges d'assaut en quelque sorte… Un mirage passe…

J'enchaîne alors en lui demandant comment se sont passés ces premiers mois à la tête de ce drôle d'Etat. Ravi d'avoir trouvé une épaule à laquelle se confier, alors qu'il aurait été plus simple de me parler directement à l'oreille, il fond en larmes et, tout en prenant un Tranxène, m'explique combien il est confiant en l'avenir de la France.

Je lui fais alors remarquer que je ne suis pas dupe et que, surtout, le Tranxène n'est pas un suppositoire… En fait il m'avoue être totalement désabousé, une expression apprise au Salon de l'agriculture.

Comprenant qu'il serait indécent de remuer le trombone dans la plaie, oui, ils ont aussi revendu les couteaux, je décide alors de m'éclipser pudiquement parce que moi, résident belge, j'ai un train à prendre !

Hu Jintao

Invitée : Caroline Fourest

Vous le saviez sûrement pas, et si vous le saviez, il fallait me le dire, mais le 11 février chinois c'est le nouvel an prochain. Ce qui dans l'ordre signifie à peu près la même chose, à savoir notre entrée dans l'année du Serpent, aussi appelée *annus serpentum* chez les latinistes, *Annus Jaoui* chez les cinéastes ou « tsstsss » chez les serpents eux-mêmes à qui ça fait une belle jambe. C'était donc l'occasion d'aller chiner au pays du soleil – pas levant – mais qui se lève quand même.

J'embarquai alors à bord de ChinaTwain, un avion de chasse, afin de rencontrer le futur ex-président Hu Jintao. Le François Hollande chinois, qui lui aussi avait fait de la présidence normale, ou « présidence nor-mao », comme on dit en sino-portugais, son cheval de Fontaine... l'alter ego du cheval de Bataille.

A peine atterri dans l'empire du Milieu de nulle part, dans un canton de Canton, je pris un tire-tire, c'est un pousse-pousse qui roule dans l'autre sens, afin de me rendre au pied de la grande muraille de Chine où m'attendait le Président, qui était justement occupé à faire-le-mur avec sa femme. « Huu-Huu Jintaoo ! » lui criai-je. A ma vue il me rejoignit et me présenta son épouse : Hu Jin Manson et sa fille : Hu Jin TailleBasse...

Pendant que sa femme allait remettre une couche de crépi sur la muraille, Hu me proposa d'aller rapidement *déjeuner sur l'herbe*. Oui, *time is Monet*... Nous nous installamasses, c'est une nouvelle conjugaison que j'essaye de lancer..., et entamâmes quelques rouleaux de printemps. Printemps chinois, me précisa-t-il, car en ce moment ils sont plus digestes que les autres, question de régime...
Libyen entre les lignes...

Pendant qu'on m'offre quelques Nem&M's en guise de dessert, il me propose de faire Chine-Chine avec leur boisson traditionnelle. Je lui explique que j'encaisse très mal l'alcool et que donc je peux pas, le saké… Mais l'interprète, pas prête du tout, en fit une traduction qui prêta à Confucius. Un ange passa. Afin de dissiper le malaise, Hu me proposa plutôt un verre de vin et demanda à un de ses lieutenants de s'armer d'rouge pour me satisfaire.

Alors que nous discutions à baguette rompue je ne pus m'empêcher de lui demander si la reconnaissance du Tibet faisait partie de ses bonnes révolutions pour la nouvelle année. A sa tête je vis qu'il riz jaune, pas de bol ! D'une voix aigre-douce, il me précisa que j'aurais pu choisir la route de la soie plutôt que la route de Lassah. Un ange repassa. En fait il arrêtait pas de passer ! Il finit par trépasser d'ailleurs…

Sur ce, le Président prit congé et mit sa voiture officielle à ma disposition : une Mitsubishi hybride ; Mi-tsu, Mi-bitchi… Le problème c'est qu'il ne savait plus où il l'avait Fourrest. Je pris alors la poudre des scampis, ou des scampettes si c'est une femelle, afin de m'en retourner vous faire part de mon émoi, émoi, émoi…

Sur la route du retour, longeant les rizières de diamant, le chauffeur mit un 33 tours dans son lecteur de DVD, oui bon... m'expliquant qu'il s'agissait de Jackie Chan Brel, une grande star chinoise.

C'est donc au son de « Cantonais que l'amour » que je fis mon retour depuis le futur.

Angelina Jolie

M'étant découvert une certaine tendresse pour nos sympathiques dictateurs, c'est naturellement vers eux que je me suis à nouveau tourné. Je sais pas, il y a quelque chose de réconfortant chez eux. Les dictateurs ont toujours raison. C'est d'ailleurs de là que vient leur nom : « Dis qu't'as tort ! »

En partance pour la Birmanie afin de rencontrer la dangereuse révolutionaire On-sent-l'Sushi, mon agent m'informe qu'Angelina Jolie est très cliente de la Matinale, qui à cause du décalage horaire s'appelle aux Etats-Unis « la Soirinale », qu'elle est fan de moi, oui bon... et qu'elle veut me rencontrer... Ce que je comprends déjà beaucoup mieux ! Mon agent n'a pas le temps de finir sa phrase que je décide de zapper le Sushi, et de m'embarquer pour Los Angeles ! Arrivé sur place, je découvre un message de mon agent qui me précise qu'elle était à Paris en fait...

J'arrive donc comme une buse à l'aéroport de LA, et sur qui je tombe : Mickey Rourke !... Enfin, pété comme un âne, c'est lui qui me tombe dessus !

J'en reste tellement sans voix qu'il me confond avec Jean Dujardin... Du coup il commence à me parler de la France, de ses deux frères restés au pays : Igor et Grichka... C'est vrai qu'il y a un petit air de famille...

Il me demande comment va François Mitterrand, je lui dis qu'il est mort, il me dit que c'est pas grave, qu'il est mort lui aussi et que ça ne l'empêche pas de faire encore du cinoche : Bon... Avant d'embarquer pour Paris, je lui suggère quand même de faire vérifier ses pommettes PIP, on s'embrasse, enfin surtout lui, et neuf heures plus tard me voici face à Angelina !

Alors, ce qui m'a tout de suite frappé quand je l'ai vue, c'est qu'elle ne ressemblait pas du tout à l'idée qu'on se fait d'elle. Plus petite, beaucoup, beaucoup plus large, assez grassouillette et d'une maniaquerie..., toujours à l'affût de la moindre poussière !

En fait, c'est seulement quand l'attachée de presse est venue me dire qu'elle aurait dix minutes de retard que j'ai réalisé que j'étais en train d'interviewer la femme de ménage.

Dix minutes plus tard donc, les lèvres d'Angelina arrivent, puis le quart d'heure suivant, j'aperçois le reste du visage qui vient enfin s'installer en face de moi. J'entame les politesses d'usage : *Nice to meet me, my name is Stephane and my tailor is ritch.*

Elle me dit combien elle admire mon travail, je m'inquiète de la carrière de sa petite sœur Emilie…, lui demande si elle suit un peu le parcours de sa grande sœur Eva… mais malgré l'extrême pertinence de mes questions, je sens bien que quelque chose la déconcentre, la trouble… Elle est charmée ! Oh, ce n'est pas la première fois que ça m'arrive, j'avais connu la même chose avec Mère Teresa…

Elle me regarde droit dans les yeux, je la regarde moi aussi, droit… droit !

Et là elle me dit qu'elle n'a pas encore de Belge dans sa collection d'enfants et qu'elle veut m'adopter. Je lui fais comprendre que j'ai déjà une « moman » et que je ne suis pas homme à me laisser adopter aussi facilement... quand tout à coup, Papa – enfin, Mister Pitt – entre dans la pièce.

Alors lui, ce qui est dingue, c'est à quel point il ressemble exactement à l'image qu'on se fait de lui !... En moins blond, plus petit, et plus moche. Physiquement super décevant en fait !

Et alors c'est intéressant d'être dans l'intimité des stars, parce que, c'est quand sa femme lui a dit bonjour que j'ai découvert que Brad était son prénom de scène, et qu'il s'appelait en réalité Jos. Jos Pitt. Je leur ai dit qu'en France on avait un homme politique qui aurait pu s'appeler un peu comme lui : Lionel Jospitt...

Bref, sans même un regard pour moi, il se dirige vers Mamounette et lui annonce qu'il vient lui aussi d'adopter un enfant, le vingt-troisième : une journaliste de M6 boutique, rebaptisée Claude Autant Lara Fabian, et qu'il n'a pas du tout l'intention de s'en séparer. Enfin c'est ce que je crois comprendre... c'était quand même ma langue maternelle que depuis cinq minutes...

La situation s'envenime, il s'énerve, et là Brad Pète... complètement les plombs ! J'essaye de calmer le jeu en leur proposant une garde alternée... rien n'y fait.

Mamina prend alors ma main et me dit qu'il va falloir être courageux car elle va finalement devoir m'avorter. Je lui demande si je peux quand même lui suçoter le téton avant de partir... On se dit au revoir, émus, nous nous rendons à l'évidence, je ne serai jamais un fils de Pitt.

Lady Di

Invité : Christophe Rocancourt

Alors comme vous le savez depuis que je vais vous le dire bientôt, j'utilise chaque semaine la tribune qui m'est offerte pour aller à la rencontre de nos chers disparus.

Oui, cette année, je suis en période décès... Mais comme la tribune ne rentre pas dans le studio, ben du coup je suis obligé d'utiliser un tabouret comme tout le monde. Enfin ta bouret..., mon bouret puisque c'est le mien.

Exit la tribune, je profite donc du bouret qui m'est offert, ça sonne moins bien évidemment, pour rendre hommage, non pas à Jean-Claude, mais à celle..
.... ma phrase n'est pas finie....... à celle qui fut Lady Di, ou Lady Die depuis qu'elle a trépassé sous un tunnel.

114

La Princesse, toujours d'éGalles à elle-même, a accepté de me recevoir afin de parler de la sortie mercredi prochain de son Chocapic... C'est comme un biopic mais au chocolat.

C'est donc libre comme une bougie dans le vent, like a free-cadel in the wind, que Joe le taxi me déposa au paradis. Une fois arrivé, mort de fatigue à cause du décalage funéraire, Saint-Pierre et Miquelon, son assistant, me guidèrent jusqu'au château de Pas-l'moral, où Diana et Dodi coulent désormais des jours... coulent des jours.

Souriante, visiblement épanouie, sur un petit nuage quoi..., elle m'accueillit superbement vêtue d'un Spencer, un peu re-Tracy... Ensuite arriva dans son dos, Dodi, dodu, mais très élégant dans son posthume trois-pièces acheté chez Harrod's, l'équivalent pour nous des galeries AlFayed. Regardant l'homme de sa vie, enfin de sa vie... aussi joliment habillé, Ladi dit · « Mais qu'est-ce t'es beau, Dodi, dis donc ! » Flatté, Dodi dodeline.

J'en profite alors pour lui demander si cet exil n'est pas trop dur à vivre. Sentant son hésitation, je l'encourage : « Sois franc, sois z'hardi. » Il me confie qu'on est hélas bien peu de chose... Pour preuve : depuis que la Couronne est en conflit avec son père égyptien, la reine est devenue anti-Caire.

Alors qu'elle nous avait quittés, oui encore..., Diana, qui trouve salon, nous rejoint avec des canapés au miel. Depuis qu'elle a le bourdon elle s'est lancée dans l'happy-culture. Au moment de lever mon toast, mielleux, j'évoque le choix de Naomi Watts pour l'incarner ou la réincarner à l'écran. Elle me dit qu'il y avait beaucoup de prétendantes pour le rôle, mais que de toutes les manières, c'est la Watts qu'elle préfère...

Profitant de ce doux climat de confiance, j'enchaîne en lui demandant si elle a encore de la rancœur envers la famille royale. Elle me dit qu'il fut bref le temps du bonheur où elle dansait le rock-en-Cour au bras de son prince charmant. Il se révéla bien vite avare de sentiments et radin de... condiments..., ça ne veut rien dire, c'est pour la rime. Oui, c'était une pince Charles ! Et puis Lady, un poil crispée, enchaîne enfin sur Camilla, me précisant qu'elle aimerait bien, encore aujourd'hui, lui mettre l'Alma dans la gueule.

Lady Di

Une fois venu le temps des cathédrales, et avant de nous re-requitter, elle me confie dans un soupir qu'on finira bien un jour ou l'autre par l'oublier. Parce que comme on dit là-haut : près des cieux, loin du cœur... Elle me demande alors une faveur : que j'embrasse son petit-fils de sa part, car même si elle vit parmi les anges dans le saint des saints, elle soutien George...

Karl Lagerfeld

*Invités : Violaine Bourgois, Hugo Desnoyer, Hervé
Sancho, Alexandre Polmard*

Vous ne le savez peut-être et vous vous en
foutez sûrement, mais nous sommes actuellement à cheval, même si ça se voit pas, sur le
calendrier des fashion weeks.

Après New York, Londres ou Milan, et comme
on en a jamais AC..., la prochaine week c'est
Paris. John Galliano n'étant toujours pas sorti de
son coma antisémit-hilique, j'ai rencontré Karl
Lagerfeld : le pape de la mode, le Dalaï Prada de
l'élégance, le R'habbie Jacobs des podiums !

Arrivé chez Chanel, je salue tout le monde
d'un « Salut les Cocos ».
Autant j'avais cartonné avec « Salut Gérard »
chez Lanvin, autant là... Alors que je suis en

quête de Karl et de sa crinière blanche, due au talc dans ses cheveux. Oui, un jour il a inversé les flacons : il a mis du talc dans les cheveux et de la laque sur les fesses. Comme elles restaient bien en place, il a gardé cette habitude.

Bref, je passe à côté de lui sans le reconnaître. Et pour cause : Karl a bruni.

Il m'explique qu'il doit cette nouvelle teinte capillaire à Pete Doherty qui lui a sniffé tout son talc en l'embrassant.

Mais bon, le principe de cette rencontre étant de se faire une idée des tendances de demain, d'un geste d'éventail dans la gueule, Karl m'invite à le suivre afin de découvrir les prototypes de la collection automne-été qu'il conçoit pour Le Printemps, allez comprendre.

En hommage à Lady Gaga, il a décidé de s'engouffrer lui aussi dans le prêt-à-manger et me présente ses créations : des bottes en pieds de porc, un string en chair de merguez et son chef-d'œuvre, sa robe de mariée confectionnée à base d'os à moelle intitulée « voyage de n'os ».

Il m'invite ensuite à déjeuner en compagnie de ses mannequins. En attendant le plat, j'avale le radis qui traînait sur la table, mais à voir leurs têtes je comprends que je viens de manger tout le repas. Pour me faire pardonner je leur propose un Tic Tac comme dessert, mais n'ayant plus très faim, elles n'ont pris que le Tic.

Avant de partir, je demande à Karl s'il ne pourrait pas me tailler une petite… tenue sur mesure pour « Le Supplément ». Il m'observe du coin de ses Paco Ray-banne, et après réflexion il accepte, me précisant qu'il en profitera pour lancer une nouvelle ligne qui s'appellera Chanel Plus.

Jean-Marie Le Pen

Invitée : Rachida Dati

Vous le savez peut-être et si vous ne le savez pas, demandez à votre mère, votre frère ou votre cousin éloigné le plus proche, mais le 1er mai prochain c'est le 1er Mai, ça tombe bien. Alors qui dit 1er Mai, ben moi, je viens de le dire…, dit aussi fête du Travail, sauf Hercule qui croit que c'est le 12, mais aussi fête de Jeanne d'Arc, une flamme formidable qui fut la première gagnante de « The Voice ».

En même temps elle avait beaucoup bûché pour y arriver, surtout sur la fin…

Alors si certains en profiteront pour fêter la pucelle, la pucelle pour aller danser… Sylvie sort de ce texte, d'autres célébreront d'une manière très àdroite un symbole nationaliste. En effet, les gars de la Marine se réuniront place de l'Opéra, non pas pour une représentation d'un Wag-ner de circonstance : la chevauchée du Valls-qui-rit, jaune en ce moment, mais pour prendre des nouvelles du front.

Vu que j'ai déjà rencontré Marine et que je n'ai pas envie non plus de me faire son avocat du diable : maître Collard (avec 2 LL !..), je décidai d'éclairer ma vessie, oui j'avais oublié ma lanterne, en allant plutôt à la rencontre de Dieu Le Pen tout-puissant, ou Jean-Marie pour les intimidés. Alors, afin de ne pas être en retard, je par-Tito, enfin je partis Franco... je partis unique quoi, sur les chapeaux de Ruhr en direction de Saint-Cloud et son manoir de Montretout, ou presque...

Bon an mal an, de mal en pis et pis que pendre, une fois arrivé, sur le pont, le vis. Jean-Marie vint m'accueillir chaleureusement après que ses gardes du corps m'eurent pété la gueule, fouillé, demandé ce que je voulais et dit bonjour, dans le désordre.

Alors même si j'étais un peu dans le gaz, enfin c'est un détail..., j'acceptai de le suivre dans son antre, qui était sans dessus-dessous. Il s'excusa de ce désordre, me précisant qu'il était dû au tri de quelques archives dont il souhaite se débarrasser car Marine les trouve un peu encombrantes... Il y a là de vieux vinyles : des chants de Noël passés de mode comme « Jin Goebbels » en version nazi-hard, ou encore un morceau inédit d'« I feel Gud » chanté par la femme de James Brown, Eva... Il y a aussi des vieilles photos de son chien : un Michel Berger allemand qu'il a dû faire piquer. Il avait chopé la galle !... Me disant que j'y avais été un peu fort avec France, Jean-Marie me répondit que, au contraire, c'est très bien de laisser la France offensée...

Je profite alors de cet extrême droit d'inventaire pour lui demander de lever le voile sur son passé trouble, mais il m'avoue la larme à son œil que ça lui est fort pénible, car où y a de la gégène y a pas de plaisir... Afin de détendre l'atmosphère, l'atmosphère ?..., Jean-Marie me propose de partager le repas du guerrier.

A table, il y a là Jany, son épouse, charmante dans son p'tit pull marine... et sa jupe en popeline. Oui, Jean-Marie c'est coton, mais Jany-popeline... Sa petit-fille Marion est là aussi, très chic en tailleur Vichy.

C'est alors qu'un membre de son personnel rasé de près me présente le plat, oui un Skinaide au service… Au menu du jour : Pruneaux-Megret-de-canard, bien saigné.

J'en avale une bouchée par politesse, puis trente-deux autres par peur des représailles.

On est là à discuter, de tout et d'aryens… Puis, en guise de digestif, Jean-Marie me propose un i-Reich-coffee, puis un deuxième… arrivé au IIIe Reich coffee, je déclare forfait.

Vexé, d'un regard aussi noir que sa chemise, il me dit en avoir soupé de ces caricatures de bas étage. J'ai beau lui dire que c'est pas Le Pen de s'énerver pour si peu, mais rien n'y fait.

Je quitte alors le château. Me retournant une dernière fois au bout de l'allée, je me dis que j'ai bien fait de partir car je le découvre très très énervé, oui, il était vraiment en führer !…

Marine Le Pen 1

Alors, aujourd'hui, je vous propose du lourd, du lourdingue même.

Avec l'interview de Marine Le Pen j'entre enfin dans la cour des grands !

Tant qu'à se payer un procès, autant que ce soit le plus couillon de la bande qui régale.

Bon, on ne va pas se le cacher, depuis son passage à Dimanche +, Marine l'a un peu mauvaise contre Canal+ et Anne-Sophie Lapix. Du coup, pour mieux l'approcher et faire la paiX je me suis fait passer pour un journaliste de Dorcel TV.

C'est donc uniquement vêtu de mon string Babar que j'ai débarqué dans son QG de campagne.

On m'avait dit : « Tu verras, en sortant du métro, pour trouver Marine tu prends à droite, puis à droite, puis à droite, puis encore à droite. »

Le problème avec ce genre de chemins, c'est qu'on se met rapidement à tourner en rond... Complètement paumé, j'interroge un gradé au regard hagard qui me regardait de manière dégradante. Je tente le dialogue, il prend ça pour un gros mot... Rien n'y fait, le lendemain soir, à peine sorti de garde à vue, je me rends à nouveau à son QG.

Je vais trouver le portier pour l'informer de mon rendez-vous avec la Chancel... la Présidente, il me demande mes papieeren, et me pousse sur une marche du « Peron » que j'Evita... de justesse, et me retrouve face à Marine.

Elle m'accueille dans un joli petit tailleur vert, qui lui faisait une taille de... tailleur vert..., et m'invite à la suivre pour l'interrogatoire. Je lui précise quand même que ce n'est qu'une interview...

Alors, ce qui me frappe d'emblée, c'est son grand sourire chaleureux, ses beaux cheveux blonds, et ses yeux, blonds eux aussi. Un profond blond marine. A la vue de la trompe de mon string Babar, elle me confie qu'elle est très soucieuse de la condition de ses électeurs érotomanes et m'invite à la suivre dans son bureau.

Il y a là son chien, un very-very golden retriever, occupé à ronger un vieil os.

Allez savoir pourquoi, à cet instant je me dis que ça fait quand même un p'tit bout de temps qu'on n'a pas eu de nouvelles de Bruno Mégret…

Dans la foulée, elle me propose de partager son dîner et m'invite à la suivre dans la salle à manger. En chemin elle peste sur sa fille qui avait laissé traîner sa Barbie…

A table, bêtement caricatural et conditionné comme je suis, j'imagine qu'on va me servir une choucroute bien garnie. Eh bien non, pas du tout, on me sert un plat de riz sauté aux p'tits légumes. Délicieux. Marine m'explique que c'est une spécialité indienne, du Nasi Goering. Si si, ça existe. Comment voulez-vous que les gens ne se méprennent pas, aussi ?

L'appétit coupé, je décline le dessert, une Forêt-Noire. Marine me propose alors un Shoah de fromage… Pris d'un léger haut-le-cœur, je demande à prendre l'air.

Elle m'invite donc à la suivre à son meeting, prévu dans la salle polyvalente Helmut Fritz.

J'accepte bien volontiers parce que, quand même, il me reste encore une demi-page à écrire.

A peine arrivés, elle file se préparer en coulisses pendant que je vais m'installer dans la salle. Et là, on a beau vouloir rester neutre et professionnel, faut reconnaître qu'on est vite pris par l'ambiance. C'est bonhomme, plein d'entrain, beaucoup plus festif que ce que j'imaginais. En fond de salle, y avait même un groupe de manchots qui s'amusait à faire une ola à un seul bras. Vraiment très bon enfant...

Je sympathise rapidement avec mon voisin de siège, qui me dit qu'avant il votait PS mais que depuis que sa femme s'est fait violer, tuer, et manger par un Polonais édenté, il se sent beaucoup moins en sécurité dans la rue. Je lui demande comment un Polonais édenté a bien pu manger sa femme, il me dit qu'il l'a longuement sucée... mais avant qu'il ait pu finir sa passionnante anecdote, j'aperçois une silhouette familière qui fait son entrée... Papa !

Un Le Pen en valant un autre, ni une ni deux je me précipite à sa rencontre...

Le service de sécurité me pète la gueule, me fouille, me demande ce que je veux, puis me dit bonjour, dans l'ordre. Quand j'ai repris connaissance vingt minutes plus tard sur les genoux de Bruno Gollnisch, le meeting avait déjà commencé.

Alors, j'ai beau avoir vu Sylvie Vartan deux fois en concert, j'en reste coi.

J'écoute, j'analyse, je place en perspective... Eh ben, je vais peut-être en choquer certains, mais y a pas que du mauvais dans son programme. Franchement, je partage largement son avis sur la météo et les embouteillages ! Et tant pis si je dérange...

Au moment où elle aborde le chapitre des énergies renouvelables, j'ai une idée de génie : mimer l'éolienne avec ma trompe de Babar dans l'espoir d'attirer son attention.

Et ça marche, enfin, surtout sur Mireille, soixante-treize ans, qui était assise juste devant moi.

J'ai pas compris ce qui s'est passé, sûrement un mauvais sens de rotation, y a eu comme un effet aspirant, je me suis tout emberlificoté dans son beau chignon laqué.

Mon string endommagé, j'ai voulu en profiter pour m'en aller discrètement, mais Marine a demandé à son copain Manu de m'emmener militari... au grand dam de cette brave Mireille qui n'avait pas du tout prévu de partir si tôt et encore moins de venir dormir à la maison...

En croisant Dieudonné à la sortie, je me suis demandé si tout ce mal en valait Le Pen...

Marine Le Pen 2

Invité : Pierre Ménès

Vous le savez peut-être, et si c'est peut-être c'est que vous n'en êtes pas sûr. Alors pour en être sûr il vaut mieux que je vous le dise, mais le 28 mars prochain Jean-Luc Mélenchon, ou le grand MéchantLong pour les uns et Jean-Marine Le Pen ou Marine pour les autres, se retrouveront au palais de justice de Béthune pour l'affaire des faux tracts électoraux d'Hénin-Beaumont... qui n'est pas une allusion douteuse à une famille de petite taille, mais une ancienne cité minière du Pas-de-Calais, comme vous le savez sûrement. Et si vous le savez pas non plus, eh ben, essayez de le savoir pour la semaine prochaine, ça nous fera gagner du temps !

Alors bien sûr obtenir un accord à l'Aimable avec Jean-Luc n'est pas chose aisée, on le voit mal marchander, de même qu'imaginer que Marine marchande n'est pas non plus chose aisée ou chosésette au féminin. C'est donc inspiré par le nouveau pape François, qui lui n'est jamais à court d'assises… que je suis parti à la rencontre de ces deux joyeux lurons afin de remettre les pendules à l'heure, même s'il faudra encore les changer dans la nuit du 30 au 31.

Alors, le problème c'est que, pour trouver Jean-Luc, de-la-rue où je me trouvais, je devais prendre à gauche, puis à gauche, puis à gauche, puis encore à gauche !

Après, on s'étonne de toujours tourner en rond ! L'avantage avec Bayrou, c'est que pour tomber dessus c'est tout droit, dans le mur…

Bref, après avoir rejoint ces deux extrêmes, je palpai une certaine tension entre eux et décidai alors de les emmener dans une boutique des 3 Suisses, en terrain neutre, pour faire la paix autour d'un Vert. Mais vu que Daniel, comme Bendit d'ailleurs, s'était barré entre-temps, ben on n'a guère pu faire la paix !

Jean-Luc fulminait en traitant Marine de tous les noms… il avait chopé l'annuaire derrière le comptoir. Il monta même sur ses grands bœufs, oui les chevaux c'était le mois dernier, en m'accusant de pactiser avec ce diable de Le Pen qui ne s'habille pas vraiment en Pravda. Il expliquait que les riches étaient la source de tous les maux et qu'il fallait les saigner pour que les maux-filent. C'était bien sa veine, Marine devenait sa tête de Turc ! Rien d'étonnant, la Turquie est justement un sujet sur lequel elle bosse-fort. Elle embraya, sans Catherine, sur sa vision de la politique étrangère, ou étrange vision politique, c'est selon... ainsi que sur ses positions économiques en matière d'économie.

Voyant alors 23 h 00 à ma montre Jackie Quartz que j'avais mise au poing, je lui expliquai qu'il était un peu tard pour parler argent et deviser sereinement, que son franc-parler en serait fortement dévalué. Jean-Luc rétorqua alors qu'il était au contraire très bon pour la santé de faire l'euro avant d'aller dormir...

Perturbée par son propal, et encore plus par ses propos, Marine m'avoua ne pas comprendre pourquoi Jean-Luc la hait... Les yeux aux larmes, oui cet aveu l'avait tout retourné, Jean-Luc réalisa qu'il était allé trop loin, et bien qu'il ne fût pas parti, revint sur ses pas, m'avouant malgré tout que voir ainsi Marine... le peine.

Il l'emmena alors bras dessus, bras dessus... les mains en l'air quoi, en lui chantant une petite ballade dont il Hallyday et qui nous raj'euni.

C'est donc au son d'« Oh Marine, si tu Chavez... » que nous nous sommes quittés.

Claude Lelouch

On a trop peu l'occasion de rencontrer des légendes, des gens dont le nom propre est devenu commun mais dont les communs restent pourtant propres. Une phrase qui ne veut strictement rien dire... mais qui traduit pourtant l'excitation qui était la mienne au moment de rencontrer M. Claude Lelouch.

Notre public étant composé de gens hautement cultivés, je ne leur ferai pas l'affront de rappeler que Claude Lelouch est l'un des plus grands réalisateurs, qui a tellement baigné dans le cinéma qu'il a fini palmé... C'était pour *Un homme et une femme* que M6 songe d'ailleurs à adapter pour en faire *Un homme et une ferme*, un veau-de-ville susceptible de remplacer « L'amour est dans le pré ».

Pas la peine non plus de rappeler qu'on lui doit de nombreux films cultes, comme *L'Aventure, c'est l'aventure* – dont James Cameron a racheté les droits pour en faire *L'Avatar, c'est l'avatar* ou *La Belle Histoire*, dont Michel Fugain a tiré un beau roman…

Bref, afin de préparer au mieux cet entretien, je me suis fait conseiller par les journalistes du magazine cinéma de Canal+, diffusé tous les premiers samedis du mois vers minuit. De vrais passionnés, extrêmement pointus dans leurs analyses filmiques, qui ne m'ont pas du tout parlé de Claude Lelouch, juste d'un certain Claude Chelou, qui fut la vedette des *Uns dans les Autres* et dont la filmographie m'est assez étrangère.

C'est donc tout fébrile que je me suis rendu dans ses bureaux afin qu'il partage avec moi un peu de sa vision… que Lelouch a justement en double, c'est dire si ça tombe bien !

Alors, ce qui m'a tout de suite frappé en arrivant c'est… la porte d'entrée. Parce qu'on n'en parle pas assez mais c'est très piégeux les portes qui s'ouvrent dans le mauvais sens… Sitôt relevé, Monsieur Claude m'ouvre sa maison, au contraire de Madame qui, elle, avait plutôt tendance à la fermer…

Il m'embrasse, « Smic, Smac, Smoc », et m'invite à le suivre dans le salon, où je découvre le beau Francis Lai au piano. Au mur une magnifique photo de Patrick Dewaere, qui « médite en Marcel »...

Avant de commencer, je me permets de demander un p'tit peu d'eau. Même pas le temps de finir ma phrase que Nicole, crois-y ou pas, me sert une Chabadabadoit.
Je l'aurais Perrier...

Il enchaîne sur le cinéma, me disant que c'est la vie en mieux. Après avoir vu *Cosmopolis*, je me dis que la vie ne tient pas toujours à grand-chose.
Il m'explique qu'avec le temps il est passé du Lino au Tapie..., mais se désole qu'il y ait aujourd'hui plus de brèles que de Jacques.

Il me parle de son autre passion : les femmes, évoque celles qu'il a aimées, Anouk..., Evelyne, Marie-Sophie, Alessandra, Annie Gilardo – une perle... Ces femmes qui n'ont pas compté pour des prunes, il en a fait des reines, Claude ! Avec beaucoup de sagesse, il m'enseigne que c'est en jouant aux drames qu'on apprend les échecs.

137

J'en profite alors pour m'éclipser, me lève, et
là, comme dans un roman, sans crier gare, au
moment de Partir il me dit de Revenir… et me
demande ce que je suis venu faire là.

Je lui réponds que je suis venu parce que
c'est « Un homme qui me plaît », et que de pouvoir ne serait-ce qu'un instant croiser son itiné-
raire fait de moi un enfant très gâté.

« Tout ça pour ça ? »… Eh oui !

Mère Teresa

Invité : François Bayrou

En ce dimanche, jour du Seigneur oblige et jour des seniors au bridge, j'ai décidé de jouer la dame de cœur. En effet, samedi en huit, enfin en six dans le cas présent, ou dans le ca-napé pour ceux qui nous regardent, cela fera dix ans que Mère Teresa, qui a toujours été plus cathodique que le pape, fut béatifiée par Jean-Paul II, successeur de Jean-Paul Ier, qui lui-même succédait à Jean-Paul Zéro, pape aspart'âme sans calories.

Suivant les préceptes d'Ottokar, je pris donc le bus en direction des Indes, là où Mère Teresa a Gandhi, et plus précisément à Calcutta, où une Calculette, fille d'un Calculot et d'une Calculotte, vint m'accueillir afin que je puisse saluer la mémoire, plus très vive, de la Petite sœur des pauvres qui est toujours vachement respectée là-bas. Meuhh oui ! Et puis surtout je voulais voir à quoi ressemblait ce canon en sainte…

Une fois arrivé à la maison, Mère Théresa me proposa un D'JoeDassin, une spécialité locale considérée comme étant le meilleur des-thés indiens. Servi avec des fraises *Tagada Tagada*, c'est délicieux ! Pour ceux qui aiment les milliardises il est trader d'y résister…

Dans la foulée, elle m'informa qu'elle ne pouvait pas me recevoir plus longtemps, car à force d'avoir donné tout son temps aux autres, elle n'a plus une minute à elle… Du coup elle me suggéra de revenir le 25 décembre pour fêter l'anniversaire du petit. Je répondis : C'est pas encore Noël ma Mère… mais la voyant rire jaune-les nonnes me proposèrent de rencontrer les autres membres de la famine : leur sœur Emmanuelle 1, Emmanuelle 2, Emmanuelle 3, jusqu'à Good Bye Emmanuelle, et plein d'autres filles aux paires… Un peu chiffonnier par tant de choix, j'avais peut-être eu Lisieux plus gros que le ventre, je repris la route pour Paris en tchouk-tchouk-Norris, sans passer par François Beyrouth, afin de rapidement rédiger ma chronique dare-dare et décès…

Faute d'avoir vu la Mère, je me rabattis donc sur la Môme, enfourchant mon VeLoeb, c'est comme un Vélib' mais pour le rallye, afin de me rendre au cimetière des Elfes-et-des-Fans d'Edith Piaf, car vous le savez sans doute, et si c'est sans doute c'est sûr, et si c'est sûr c'est t'amère… ou ton père qui te l'a dit, mais il y a un demi-siècle Edith s'en est allée. Au bout de l'allée même, division 97 tout au fond à droite.

Et donc, pour les cinquante ans de son échappée, un pot d'échappement fut organisé au Père-Lachaise, son pied à terre parisien, enfin, son pied-sous-terre, qui pour l'occasion avait été rebaptisé Lachaise musicale. Un véritable hymne à l'humour.

Soudain, telle la Vénus de Milo'rd, je découvre l'immense petite dame toute de noire laitue, toujours aussi frisée. A la voir là devant moi, j'en ai le souffle coupé, et ne peux que… ben, m'étouffer déjà, et boire du petit-lait surtout, pendant qu'Edith boit l'Evi-an rose…

Em-por-té par-le-fol'…espoir de lui parler, je tente alors une question indiscrète et lui demande si comme tous les Enfants du Paradis, elle repose auprès de son Marcel réin-Carné. Marcel qui, faut-il le rappeler, s'était crashé dans un avion sans elle. Ben oui sans ailes, ça vole pas haut...

Elle ouvre alors les cieux, et un trémolo dans la voix me répond que désormais, seul Marcel la Cer-dan ses bras... Dans sa grande bonté, Dieu a réuni ceux qui s'aiment. Il est ainsi-Dieu... Edith avait à peine eu le temps de me faire tourner la tête, que déjà elle avait tourné les talons. Elle alla se rendormir dans les bras de morphine.

Angela Merkel

Vous ne le savez sûrement pas – et si vous le savez, je me demande bien qui vous l'a dit –, mais demain c'est la journée mondiale de la transition pourrie. Je suis donc parti à la rencontre d'Angela Merkel, je ne vois pas le rapport mais je vous avais prévenu, afin de la sonder sur la France et sa vision du quinquennat. A ne pas confondre avec Quinquina, un arbuste de la famille des Rubiacées, mais ça tout le monde s'en fout, revenons à Los Angela.

C'est étonnant comme l'évocation d'un prénom peut changer en quelques années. Y a dix ans, Angela ça sentait bon les tropiques, la noix de coco, la peau cuivrée, et puis aujourd'hui… Bref, comme on disait sur Canal+ la saison dernière, l'occasion était trop belle pour reprendre contact avec Germaine ma cousine, est-allemande, ex-championne olympique, devenue aujourd'hui démembreuse de porc à mains nues, afin qu'elle me rafraîchisse un peu la mémoire quant aux us et coutumes d'outre-Rhin, qui je le rappelle n'est pas qu'une position du *Kamasutra*.

Que de souvenirs émus revinrent à ma mémoire en voyant ma douce Batave descendre de son trente-huit tonnes pour venir m'accueillir à la gare. Elle n'avait pas changé d'un poil. Au sens propre comme au défiguré... Les retrouvailles expédiées, me voici donc à la porte du Vatican où on m'informe que le pape c'était il y a trois semaines et que j'ai fait un mauvais copié-collé. Un détour par la corbeille plus tard, me voici donc à la porte du Bundestag, où Angela m'accueille à bras ouverts dans un joli tailleur Dacia 4×4 poches.

Elle m'embrasse une bonne dizaine de fois en l'honneur de l'amitié franco-allemande. Je lui précise alors que je ne suis pas du tout français mais belge, comme bientôt une majorité de Français d'ailleurs... mais devinant à son regard que le concept de Belgique lui est un peu abstrait, je lui rappelle que Bruxelles est le siège de l'Europe. Elle percute et me répond que c'est bien pour ça qu'elle s'assied dessus.

Nous poursuivons alors dans la salle à manger, où, à ma grande surprise, Nicolas Sarkozy est attablé en train de raconter des salades à un petit Batave et à sa grande sœur Batavia, expliquant la meilleure façon de mâcher, précisant que la romaine est la frisée de l'Europe, et que personnellement il a toujours eu un petit faible pour la salade de blé. Quant à Angela, elle nous explique qu'elle porte elle aussi un réel intérêt pour la diététique, et qu'elle s'apprête à faire voter une loi invitant les Allemands à consommer cinq fruits et légumes… par an.

Nous poursuivons sur la culture. Et la voilà qui, pour nous faire chanceler, déballe une liste de personnalités allemandes telles que Goethe, Kant ou une certaine Pina Bausch, qui après le balai s'est reconvertie dans les aspirateurs et les lave-vaisselle. En parlant de balai, j'en profite pour demander à Angela ce que Sarkozy fout là. Elle m'avoue avoir un peu de mal à s'en débarrasser et que surtout elle s'en veut de lui avoir apporté sa gaine en 2012. Je lui précise alors qu'il eût été plus opportun de lui apporter son soutien car où y a de la gaine… ben, y a pas de plaisir.

Après l'avoir remerciée pour sa collaboration, je prends congé de la Chancelière, qui a tout de même la délicate attention de me faire un doggie-bag de saindoux pour mon pic-nicht. On se dit au revoir rapidement, on s'étreint à grande vitesse.

Avant de partir, je lui avoue ne pas avoir compris grand-chose à ce qu'elle racontait dans son français approximatif. Elle s'en excuse et m'explique que c'est dû à son schleu sur la langue. Mais que ce problème sera bientôt réglé à force de pratiquer le François…

Arnaud Montebourg

Invités : Jean-Denis Lejeune, Filippo Simeoni, maître Giovanni Fontano

Vous le savez sûrement, et si vous le savez pas, va falloir commencer à vous débrouiller tout seul, mais la semaine prochaine la France va connaître un moment historique puisque Arnaud-Montebourg-là-dessus-tu-verras-Mont-martre, plus connu sous le nom d'Arnaud Montebourg tout court, fêtera son anniversaire.

Ne reculant devant rien et avançant même derrière tout, je partis rencontrer l'Arnaud pour un entretien fleuve. Une fois arrivé dans le carré VIP du Flunch de Vélizy où se tiendra la surboum de l'année, je découvre Arnaud occupé à plier des serviettes au rythme endiablé d'Harlem Desirless. Il m'invite à m'asseoir à ses côtés, ce qui n'est pas très facile quand on y pense, parce

147

que, sauf à avoir les deux côtés du même côté… Bref, restant debout, et n'ayant rien à dire, je la fermai.

Histoire de ne pas s'arrêter en si mauvais chemin, je lui demande son âge… même si ça se fait pas de demander ça à une dame, fût-elle un homme. Il me répond qu'il aura un jour de plus. OK…

Je profite de ce moment de flottement pour jeter un œil à l'action gouvernementale venue lui prêter main-forte : Delphine Batho rame pour mettre la table, Cécile Duflot a un peu de mal avec les verres, Pierre Mosco, Vici Veni Vidi, puis repart après s'être fait enguirlander par Sapin, tandis que dans un coin, Christiane Taubira taubire…
Et enfin pour le menu, heu-reu-se-ment qu'il y a Fabius… Faabius !

Revenant à Nono-moutons et son robot Moulinex, j'enchaîne sur les déclarations de sa campagne, ou compagne c'est selon… qui grâce à ses lunettes Optic 2017 le verrait bien devenir Premier ministre !
Il m'avoue alors ne pas être un Ayrault et qu'il ne faut pas croire ce que disent les journaux.

Emballé par la profondeur de cet entretien, il me propose de faire la couverture de *Télé 7 Jours* à ses côtés pour vanter mes mérites. Mais quand il apprend que je suis « Made in Belgium » et que le seul truc en marinière chez nous ce sont les moules, il se referme comme une huître.

J'en profite pour filer à la belge… c'est pareil qu'à l'anglaise mais sans accent. Me dirigeant alors vers la sortie, je reconnais Martine au bruit. Juchée sur ses hauts talents, je devine qu'elle aussi veut rejoindre le bal pour la Valls des prétendants.

Hosni Moubarak

Après Cannes et après tout aussi d'ailleurs, il me fallait revenir à l'essentiel.

Sevré de paillettes, d'alcool tiède et de silicone bon marché, je me suis dit que le monde attendait plus de moi.

Cette prise de conscience m'est tombée dessus au pied des marches, alors que j'étais aux côtés de Bernard, d'Henri et de Lévy. Pourquoi n'avais-je point le droit, moi aussi, d'avoir un brushing et de me balader en costard sur les ruines fumantes des conflits de ce monde ?!

Avant de partir je me suis donc équipé du kit BHL : une chemise blanche confectionnée chez son tailleur pour drames et un billet d'avion BHL long courrier à destination de l'Egypte afin de rencontrer Hosni, celui qui mal y pense, et qui coule des jours heureux dans la Pyramide Mikit

tout confort qu'il se serait fait construire au bord
du Nil.

A peine arrivé au Caire, je tombe par hasard
sur un passant qui passait, et lui confesse être
un peu perdu. Il me dit que son frère musulman
se fera un plaisir de me guider. J'arrive donc
auprès dudit frère, qui s'excuse de ne pouvoir
me venir en aide et me suggère de demander à
son frère Rocco, un autre de ses frères.

Occupé à manger sa Minut'soupe, il consent
malgré tout à me guider, dès qu'il aura conduit sa
sœur, qui est aussi sa femme et sa grand-mère,
chez son frère coiffeur.

Nous arrivons enfin à la Baraque d'Hosni.
Arpentant le dédale de couloirs sombres et étroits,
contournant Momie Blue, Momie Nova et Momie
Mathy, sur qui je tombe ? Un Sarko-sage comme
une image en visite avec Carla, brunie par le
soleil. Plus loin, je découvre une autre momie,
magnifiquement préservée celle-là…

Je suis surpris par la qualité du travail, des lèvres
intactes, des cheveux… enfin, des poils de chameau
d'un blanc magnifique, jusque dans ses narines.
C'est à ce moment-là qu'Aznavour m'a demandé
de retirer mes doigts de son nez car il voulait continuer à faire du tourisme tranquillement.

151

Voyages en absurdie

Prenant congé du grand Charles, je rejoins enfin le maître des lieux dans son hammam, et lui demande une analyse de la situation.

Il a alors cette moue qu'on lui connaît, enfin j'imagine… et me dit, défait, que pour lui les Cairottes sont cuits.

Barack Obama

Invités : Zara Mourtazalieva, Richard Attias

Vous le savez sûrement, et même si vous ne le savez pas, c'est déjà bien de le savoir, mais nous sommes aujourd'hui le 13 janvier 2013 ou 44 décembre 2012 pour les triskaïdécaphobes. Alors, qui dit nouvel an dit bonne année, et qui dit bonne année... ben c'est moi ! Excellente nouvelle d'ailleurs pour tous ceux qui redoutaient la prédiction maya. Maya plus de problèmes maintenant.

Voilà, les vœux-tu en voilà étant clos, retournons vers le futur et plus précisément vers dimanche prochain où Barack Obama sera...

Oui, alors je vous ai pas prévenu mais en 2013 j'ai décidé de gagner du temps en sucrant la moitié de mes phrases. Bon, ça risque de vous déstabiliser un peu au début, pas mal au milieu et

153

complètement à la fin, mais après quelques
semaines vous...

Barack Obama, donc, qui n'a pas cru en la fin
du monde malgré l'ObaMaya, deviendra officiel-
lement le second président noir américain, succé-
dant ainsi à Barack Obama, premier président
noir américain, lors de la cérémonie d'inves-
teinture. Rebaptisée ainsi en raison du pressing
des lobbies, ou lobbies des pressings, c'est selon.

Bref, depuis qu'on se connaît vous commen-
cez à me connaître, c'est donc sans hésiter que
je partis pour Washington DC ! Enfin, pas d'ici
directement, mais de l'aéroport où je restai
bloqué dans l'ascenseur. Oui, comme le poids
était limité à six cents kilos et que j'avais
emmené mes vannes les plus lourdes de 2012,
ben je suis jamais monté et mon avion est parti.

Après de multiples moult, je convainquis l'Elysée de me prêter l'avion présidentiel de François
Hollande, un Cesna, oui... rebaptisé Air Farce
One par les Chevaliers du Fiel. Dans ma délé-
gation, aucun délégué, excepté Patrick Bruel
qui m'avait donné rendez-vous dans dix ans.
Comme il avait un peu d'avance, il posa ses
poker fesses dans l'avion, et m'accompagna dans

la capitale fédérale, plus précisément au Capitole fédérol.

Sur place, le service de sécurité me demanda de montrer patte blanche. N'ayant pas de pattes sur moi, Patrick se chargea de leur montrer son pied noir, ce qui me permit de rencontrer Barack, qui par des vases communicants me rencontra lui aussi en se jetant à mon cul ! En fait, il voulait se jeter à mon cou mais il a trébuché, emportant dans son élan le pupitre où était posée la bible sur laquelle il devait prêter serment. C'est alors que Patrick se mit à entonner « Labibli-la bible », la rattrapa et la remit en place pour le grand homme.

J'en profitai pour poser ma première et dernière question à Barack ; en l'occurrence savoir ce que ça lui avait fait de mettre à terre Mitt. Il fit mine de ne pas m'entendre, et bien que je revienne de vacances, son garde du corps m'invita à prendre congé.

Sur le chemin du retour, au loin dans la tribune pas présidentielle, j'aperçus Romney, ému de voir Obama casser la baraque. Je ne pus m'empêcher de penser qu'il devait avoir bien soif pour venir boire ainsi le calice jusqu'à la lie Mitt…

Vladimir Poutine

Invité : Fabien Onteniente

Vous ne le savez sûrement pas – et si vous faisiez autre chose que de regarder la télé le dimanche, vous le sauriez –, mais la semaine prochaine il ne se passe rien... Alors en attendant qu'il se passe quelque chose, comme la nature a horreur du vide et que le vide à la télé fait rarement le plein, quoique, j'en ai profité pour rencontrer celui qui incarne depuis plus de dix ans le Tsar System russe, je veux bien sûr parler de Vladimir Poutine, plus connu sous le nom de Vladimir Poutine si on a envie de répéter deux fois la même chose.

Alors les fidèles de l'émission le savent car c'est une tradition depuis dix minutes, avant d'arriver en terre inconnue je me fais fort de m'imprégner de la culture locale de mes interlo-

cuteurs. C'est donc dans l'un des ouvrages fonda-
teurs de la littérature slave de Macha Méril,
Joyeuses Pâtes, que je me suis plongé, et ce n'est
qu'une fois le temps de cuisson des coquillettes
bien assimilé que j'ai sauté dans le premier avion
pour Moscou. Comme Aeroflot est à l'aviation ce
que Costa est aux croisières, l'avantage c'est que
vous ne payez que l'aller... le retour est offert par
Europ Assistance.

En plein vol, alors que le steward, qui s'appelait
Dave, nous servait un goulag, spécialité locale, le
commandant du Tupolev, qui est aussi pilote
d'essai chez Smirnoff, décide de faire un léger
détour de huit mille kilomètres pour aller boire
un coup avec ses potes à la fête de la Moujik, en
territoire TchinTchin. Le problème, c'est qu'ils
étaient tellement contents de nous voir qu'ils ont
sifflé tout le kérosène de l'avion. Du coup, livré à
moi-même à Grozny-sous-Bois, j'ai continué le
voyage à dos de chèvre.

Je profitai alors du trajet pour découvrir
l'œuvre de Léon Tolstoï, auteur russe majeur,
surtout depuis qu'il a eu dix-huit ans. Mais
comme je n'aime que des livres « guère-épais »,
ben j'ai finalement arrêté au bout de deux
pages...

Un interligne plus tard, c'est l'avantage de voyager sur MacBook Air, j'arrivai enfin au Kremlin accueilli par un Kremlin's en faction. Il me précise d'emblée qu'une petite sauterie est organisée en l'honneur du Président, et me propose d'aller garer ma biquette en double file. De peur qu'il ne la raye, je le convaincs finalement de nous laisser entrer tous les deux.

Là, je découvre un panel de filles blondes aux yeux bleus qui ressemblaient toutes à des petites Poutines. C'est alors que Natasha, qui devait faire dans les 3,20 mètres, très pulpeuse, surtout du droit, vient à ma rencontre afin de… ben, de me rencontrer. D'emblée elle me dit « Je Vous Trouve Très Beau », et poursuit en murmurant qu'elle a bien envie de tâter le pis. Ce que j'accepte, bien volontiers. Ce n'est qu'une fois sa jolie main dans ma gueule que je me suis rendu compte qu'elle parlait à ma biquette.

Au loin, je découvre alors le Président que je m'empresse de saluer de la part de Maïtena Biraben. Il me répond à peine, sans bouger les lèvres, ni les yeux, je devine seulement un mouvement de ses cils. Cécile, qui était d'ailleurs le prénom de ma grand-tante. Mais tout le monde s'en fout…

J'essaye quand même d'engager la conversation mais réalise rapidement que dès qu'une question commence par une phrase ou finit par un point d'interrogation, il se bloque. Face à son inertie – oui, je peux aussi dire des trucs intelligents –, je tente le tout pour le tout en lui demandant s'il a des nouvelles de Robert Hue.

Là, son visage s'illumine soudain. « *Hue ? Da da !* » me répond-il. Okay, je me dis qu'on n'aura pas mieux pour cette semaine.

Satisfait du devoir accompli, je repris donc la route pour la France sur le dos de ma chèvre. Nous allâmes tous deux, la place Rouge était vide. Devant moi marchait Nathalie… Arthaud, qui cherchait l'enclume. Mais ça, c'est une autre histoire…

Renaud

Invité : Bertrand Delanoë

Vous le savez peut-être, et si vous le savez pas vous allez vite le savoir car ça va faire du bruit... mais le prochain Grand Prix de Formule 1 se courra dans une semaine pile-poil. Ou pile-peau si vous êtes glabre, pile-plume si vous êtes un oiseau, pile électrique si vous êtes nerveux, ou pile-Clinton si vous vous appelez Monica... Enfin bref, un Grand Prix qui se courra sur le circuit de Barcelone ! Bon, c'pas Francorchamps, mais c'pas mal quand même... Et puis surtout c'est la possibilité de rencontrer pour l'occasion-Renaud, afin de comprendre un peu mieux les raisons de son court-circuit, de prendre de ses nouvelles, même si elles ne sont pas toutes neuves... avant la parution le 10 mai prochain du livre de son frère Thierry Séchan : *Lettres à mon frère Renaud*. A ne pas confondre avec

Renaud

Lettres à France de Paul Nareff, le frère de Michel Nareff...

Renaud donc, avec un D, comme dans « Dans », me donna rendez-vous sur le circuit Paul-Ricard, où il y fait ses essais de consommation, et puis surtout parce que Barcelone c'est trop loin... C'est paella porte à côté !

Alors, afin de le rejoindre dans le Midi vers 14 heures, j'embarquai dans un jet privé, de moteur... Ce qui est pas super-pratique et encore moins super-sonique pour passer le mur du con. Bref, et quand je dis bref je dis ça parce que je vois pas ce que je pourrais dire d'autre, j'arrivai enfin à destination, au Castellet.

Dans un *Boucan d'enfer*, je marchai sur la ligne droite du circuit, me laissant porter par le mistral jusqu'à la ligne d'arrivée, le *Mistral gagnant* quoi, afin de me rendre au stand de Renaud... Même si chez nous on ne dit pas « se rendre au stand » mais « aller *à* Ostende ».

Renaud m'attendait, assis sur une *Marche, à l'ombre*, et vint aussitôt me saluer en me demandant qui j'étais ! Ne comprenant pas la question, je réalisai alors que j'avais oublié d'enlever mes boules « Qui est-ce »… Je lui expliquai donc que j'étais moi, et comme de son côté il était lui, nous en déduisîmes que nous étions nous, ce qui nous permit de faire rapidement connaissance.

N'ayant pas que ça à foutre et vous non plus, je lui demandai à un moment « *c'est quand qu'on va où ?* ». Il m'invita alors à m'asseoir sur un banc cinq minutes avec lui, à regarder les voitures, tant qu'y en a. Oui, il s'est pris de passion pour la F1 après avoir trouvé une épaule Ricard, son meilleur anis, sur laquelle se poser.

En voyant passer tous ces bolides, très beaux lides d'ailleurs, on évoque Isabelle Alonso, Massa n'a rien à voir… En revanche, il m'avoue avoir un faible pour Sébastien et s'être enfin mis au Vettel pour É-LI-MI-NER ses démons. Démons et merveilles même, car ça lui a aussi redonné goût à la musique, l'incitant à écrire un nouveau titre : « La valse Hamilton », prouvant ainsi qu'il n'est plus une brèle…

On en reste là, car il doit maintenant rejoindre les compagnons de l'ascension, oui c'est jeudi. Avant de prendre congé je lui demande s'il se plaît dans le Vaucluse, là où il s'est retiré depuis qu'elle a quitté « Maison-la-Romane »…

Renaud

Voyant qu'il ne veut pas me répondre, préférant rester seul, je lui dis que dès que le vent soufflera je repartira. M'éloignant, je vis alors Renaud-séchant, ses larmes.

Des gouttes remplies de doutes coulaient sur sa capacité à retrouver un jour une inspiration expirée. Avant de prendre mon envol au vent, et même si Renaud est-space, j'lui dis : « Laisse, t'es bon… »

Mitt Romney

Invité : Pascal Bolo

Alors comme vous le savez, et si vous ne le savez pas c'est que vous êtes mort ou alors complètement décédé, mais la semaine prochaine les Etats-Unis passeront peut-être de l'Obamania à la Mittomanie. Et comme c'est pas tous les jours qu'on peut approcher un Mitt vivant, j'ai décidé de rencontrer Mitt Romney, avant qu'il ne rejoigne John Kerry et John McCain à Looserville, Kentucky, Fried Chicken.

C'est donc fier comme un fifrelin que je pris l'escabèche à revers…
Oui, alors j'invente des expressions qui ne veulent peut-être rien dire pour le moment mais qui un jour prendront tout leur sens.

Une fois arrivé à son QG de campagne, tellement à la campagne d'ailleurs qu'il a été baptisé Romney-sous-Bois, je le salue d'un « *nice to Mitt me* », puis lui pose la question qui brûle les lèvres de tous les analystes politiques de France et d'Elodie Navarre : « Mais Mitt, qu'est-ce que c'est que ce prénom tout pourri ? *But Mitt, what is this bullshit préname ?* » si vous regardez cette émission en VO... Il me précise que Mitt est son deuxième prénom, tout comme Hussein est le deuxième prénom de Barack Obama, et Michelle le prénom de sa-dame...

Avant d'aller plus loin, il me propose... ben d'aller moins loin et de me présenter sa femme, qui mormonne dans un coin. En me voyant, elle me saute au cou, m'embrasse et me serre chaleureusement la main en me disant qu'il faut absolument voter pour son mari car les démocrates sont prêts à tout pour le faire perdre, allant même jusqu'à fabriquer des boules anti-Mitt pour préserver la couverture sociale !

Je lui fais remarquer que c'est pas étonnant qu'on lui tape dessus car des deux candidats, le nanti c'est Mitt... A ces mots, elle me désaute au cou, me désembrasse et me désserre la main en me disant d'aller me « *fuck you un œuf* ».

Quant à Mitt, furieux, d'un œil noir il me dévisage alors des pieds aux genoux, ça va plus vite, en me demandant si j'en ai pas marre de faire des jeux de mots pourris sur son prénom.

C'est la goutte qui a fait déborder la casserole, il en a marre Mitt ! Il se met alors dans tous ses états, cinquante, quand même, s'excite au point de faire un malaise, et paf, le Mitt s'effondre !

Heureusement, j'ai pris des cours de secourisme avec Adriana Karembeu, donc je déboutonne sa chemise pour lui suçoter le téton, mais rien n'y fait...

A défaut de revenir à lui, je décide de revenir à moi en me barrant vite fait, on the triple vitesse, conscient d'avoir dépassé les bornes in the USA...

Nicolas Sarkozy 1

Un vent nouveau, au parfum de rose, souffle désormais sur la France, et en particulier sur le palais de l'Alizée. C'était pour moi, pour nous, vous, ils, mon, ton, son, nos voleurs..., l'ultime occasion de rencontrer Nicolas Sarkozy sous les ors de la République.

Enroulé dans mon écharpe rouge de marque Christophe Barbier, je me suis donc rendu au sommet de l'Etat, faubourg Saint-Honoré : saint patron des boulangers.

Après faut pas s'étonner que Sarko soit dans le pétrin...

Je pénètre dans la cour, passe à côté d'un camion de déménageur Thierry Breton, et me dirige vers le perron. Je sonne, BLING-BLING... Le garde de faction au casque en poils de Dave vient m'ouvrir. Je me rends compte qu'il s'agit de

Bernadette Chirac, venue récupérer un des sono-
tones que Jacques a oublié dans le freezer.

A peine entré, j'aperçois une frêle silhouette,
une sorte de top model dont il ne resterait que le
modèle... C'est Roseline Bachelot, occupée à rem-
plir ses cartons de vaccins H1N1. A la vue de ma
vue... elle tente de me refiler deux millions de
doses pour le prix d'une, m'expliquant que c'est
très efficace contre l'immunité, présidentielle
d'une part, et d'autre part aussi... Afin d'éviter de
me faire piquer, je l'abandonne à son tire-palettes
et croise dans la foulée Eric Woerth, à la cheve-
lure désormais bien fournie depuis qu'il suit un
traitement L'Oréal antichute. Mais malgré ces
affaires qui l'ont éclaboussé, Eric ne s'est pas
laissé-choir...

Arrivé à l'étage, j'explique gentiment à l'huis-
sier qui s'étonne de me voir là que j'ai rendez-
vous avec le Président. Il me répond cordialement
d'aller me faire foutre, ce que je fais bien volontiers... et me dirige vers le bureau présidentiel.
Sous un poster d'Angelina Merkel, je découvre le
locataire en fin de bail qui finit de ranger ses
cartons. En même temps, comme il en a fait des
caisses pendant cinq ans, dix de plus ou de
moins...

Tout en l'aidant à ranger la tente que Kadhafi avait laissée en vue de sa prochaine visite, je m'inquiète de l'absence de Carlita. Il me dit qu'elle est partie dîner en célibataire chez Jacques Séguéla et qu'elle ne devrait pas tarder. Normalement…

Nicolas me propose alors de faire une dernière fois le tour du propriétaire et de saluer sa bande de potes venus l'aider à déménager. On commence par enjamber Jean-François Copé, qui tente d'effacer les rayures qu'il a faites dans le parquet, on tombe sur François Barouin et Michèle Laroque qui amènent déjà quelques affaires, plus loin, Nadine Morano. Jamais à court d'une bonne blague, elle trouve rigolo de coller un vieux maroilles sous le buste de Marianne… En traversant le vestibule, on croise Besson, qui s'est fait un grand bleu en tombant des nues. Il demande s'il doit conserver les vestes ou les retourner… Je salue David Douillet en plein effort, avec dans une main une commode Louis XV et dans l'autre, moins commode : Bernadette, ex-première dan.

A la vue de Claude, le Guéant Vert, Sarko lui rappelle de ne pas oublier d'aller chercher

Mireille Mathieu et Faudel à la cave, ça peut toujours servir. De même que Bernard Kouchner, rangé dans un placard, devenu pour l'occasion le siège de MSF. Ministre Sans Fonction. Nous arrivons alors dans la bibliothèque. Nicolas s'arrête, nostalgique. Je lui dis comprendre son émotion, car j'ai moi-même beaucoup souffert en quittant la primaire pour le collège. A ces mots pleins de réconfort, il s'en va rejoindre le pot de départ que lui a organisé Jean-Louis Borloo depuis cinq ans.

Alors qu'il disparaît au détour du couloir, je remarque qu'il a laissé tomber un petit mot. C'est un Post-it d'encouragement du Premier ministre. Je le ramasse. Il y est écrit :

« Courage, Fillon. »

Nicolas Sarkozy 2

Invité : Patrick Bruel

Vous le savez peut-être, et si vous ne le savez pas, vous n'êtes pas sans savoir que vous l'ignorez, mais le 22 mai prochain Nicolas Sarkozy, prédécesseur de François Hollande, qui a lui-même succédé à Nicolas Sarkozy pour ceux qui n'auraient pas suivi, se verra remettre un « diplôme d'honneur ». Et quand je dis « plôme », je ne dis pas « plôme », je diplôme, tout simplement... Diplôme d'honneur donc, qu'il se doigt d'aller se faire r'mettre des mains de Benyamin Netanyahou au Collège académique de Netanya en Israël. Nétanya où ? Ben, en Israël, je viens de vous le dire !

Par ailleurs, et par là-bas surtout, il faut savoir qu'en hébreu Benjamin se dit Benyamin. Tout comme Juvabien se dit Juvamine, mais ça n'a rien à voir...

171

Bref, tel Benjamin, j'ai chaussé mes bottes de mille-pieds afin de me rendre en Terrecintre – c'est comme en Terre sainte mais avec le risque de se prendre une veste –, dans le but d'y rencontrer l'ex-chef de l'Etat, qui, au fil des désaffections de ses lieutenants, risque de se retrouver bientôt chef désarmé...

En chemin, après m'être fait une petite frayeur en croisant une bande de jeunes, la fameuse bande de Gaza, j'arrive enfin à l'aéroVeau Ben-Gourion. C'est comme un aéroPorc, mais kasher... Oui, pour vivre heureux, vivons kasher ! Au bar, alors que je guettais l'arrivée de l'ex-président en buvant un p'tit blanc, vint Nicolas. Il était calme et détendu, un SarkoSage en quelque sorte, attendant patiemment que Carla et sa guitare sortent de la soute à bagages.

Devinant mon étonnement de la savoir du voyage, il me dit qu'elle a profité de sa venue pour participer à la grande fête de la musique israélienne, le concert du colon, où elle compte bien y jouer quelques accords de paix. D'ailleurs, à ce propos, il m'invite à rejoindre en voiture Shimon, Peres, et son groupe de percu-sionistes, composé notamment de Mahmoud à la basse, afin de nous rendre à un dîner de gala.

Nous embarquons donc dans un taxi, direction Jérusalem, qui se trouve à un jet de pierres de là... Le chauffeur, un p'tit fada, Kippour faire le malin n'arrêtait pas de zigzaguer entre les voitures comme si c'était un Shalom géant, roulait à une telle-à-vive allure qu'après trois minutes nous arrivâmes à destination.

Je profitai alors qu'on soit au pied du mur pour demander à Nicolas si je pouvais aborder les questions politiques pendant le repas. Il me dit qu'en Israël c'est très impoli de mettre Likoud sur la table et qu'il serait préférable, voire impératif que je la ferme.

Il avait raison, j'étais à deux doigts de commettre une erreur de genèse.

Pourtant si bref et si-concis d'habitude, je la ferme. Là je n'avais pas le Shoah. Une fois à table, terre promise, terre due, c'est comme ça qu'on dit là-bas, je reste muet comme une carpe, ou comme un carp'accio dans le cas présent, c'est dire si j'ai l'air fin, et me contente d'acquiescer quand on me dit quelque chose.

Mais comme on ne me dit rien, ben j'acquiesce pas, passant pour un gros bégueule, kibboutz dans son coin !

Au moment du dessert, une sorte de compote de pommes à base de Jonagold' amères, Nicolas en profite pour me montrer un diasporama de photos de vacances sur l'Epad que lui a offert son fils.

Entre deux clichés, c'est le moins qu'on puisse dire…, je m'adresse alors à Pal, son père, présent lui aussi, et lui demande ce que Nicolas est venu faire ici. Il me précise qu'il est venu amasser les soutiens en vue de 2017 car Nicolas ne peut pas laisser trop longtemps le territoire inoccupé… J'ai quand même l'impression qu'il parle à Torah et à travers.

Je laisse dire, en fin de compte, ce n'est que ce que Pal-estime…

Dominique Strauss-Kahn 1

A l'avant-veille du scrutin, *scrotum* en latin, il me semblait opportun de rencontrer celui qui était promis au présidentiel d'estaing d'un Giscard, d'un Mitterrand, Chirac, ou autre Sarko… Celui pour qui la Gaule de Charles n'est pas un vain mot. Espoir déçu, écrasé dans l'œuf… d'une poule. Adieu donc les rêves de conquête, quoique… Néanmoins, qui mieux que Dominique Strauss-Kahn pouvait éclairer notre lanterne sur l'entre-deux… tour de ces élections ?

Sensible au sort des exclus, c'est avec empathie, mais sans Jean-Michel, que je me suis rendu place des Vosges, ma bombe lacrymo en poche, afin de rencontrer DSK. Vêtu d'un pyjama piloupilou et d'une paire de pantoufles Hello Kitty il m'ouvrit la porte, hagard. A peine introduit, j'aperçus derrière lui la trist'Anne… Ex-future première dame. Enfin, quand je dis première…

Sans un mot, il m'invita à m'installer dans le canapé du salon. Mais à peine assis, plus personne ! Je suis là, plongé dans la pénombre, éclairée par quelques chandelles. En fond, une musique de fond, logique… C'est une chanson d'Aznavour ; « Comme ils disent », dont je reconnais les mesures : « Chat Bite encore avec maman, dans un très vieil appartement… » Supposant que Domi est parti nous chercher un rafraîchissement, je lutte avec les coussins pour trouver mon confort avant de réaliser que je suis assis sur ses genoux en fait. Alors qu'il s'apprête à sonder mon… opinion sur la gauche molle et la droite dure, je me relève calmement, et lui dis qu'en tant que défenseur de l'amitié virile entre les peuples, il me semble préférable de pratiquer l'entretien en tête à tête plutôt qu'en tête à queue.

Afin de dissiper tout malentendu, il me propose alors de l'accompagner rue Saint-Denis. Comme quoi on peut ne pas avoir de bonnes idées dans les suites et n'avoir aucune suite dans les idées non plus… Vu mon étonnement, il me précise qu'il s'agit de se rendre à l'anniversaire de Juju la pendule… Julien Dray pour les autres.

En marchant dans cette belle rue de Paris, où les filles de joie sont en peine et les hommes, à peine en joie, il m'explique que c'est l'occasion rêvée de renouer avec des amis de trente ans qui lui ont tourné le dos, et d'autres au contraire qui n'osent pas... Arrivés sur place : mouvement de panique. A la vue de Strauss, Manuel Valls dehors tandis que derrière moi je reconnais Martine au bruit... Elle s'est encastrée dans le passe-plat en tentant de s'échapper.

Je me retrouve seul avec Domi. Dépité, il m'explique que même la Croisette lui sera interdite. Gilles Jacob lui refuserait l'accès car il ne veut pas que Dominique stresse Cannes. Je le relance alors sur les élections en France ! Strauss scrute le scrutin... pas facile à dire ! La France ?! « Ne me parlez plus jamais de la France, la France elle m'a laissé tomber. » Le voilà qui dévie sur Michel Sardou, dont l'œuvre résonne étrangement avec sa vie actuelle entre la « Java de Broadway » et les « Villes de grandes solitudes ». On en reste là. Il salue son ami Julien d'un « Je reviens Dray ». En le voyant s'éloigner, je repense à Sardou et me dis que pour guérir de sa « Maladie d'amour » il ne lui reste désormais qu'une « Fille aux Sinclair »...

Dominique Strauss-Kahn 2

Invités : Edwy Plenel, Stéphane Guillon

Alors vous le savez peut-être pas et même si vous le savez je vais vous le dire quand même parce qu'un homme averti en vaut deux et qu'une femme avertie en vaut la peine, mais la semaine prochaine, qui commence dès ce soir en fait, se tiendra à New York une audience susceptible de mettre fin à la procédure opposant Dominique Strauss-Kahn à Nafissatou Diallo... qui est à l'appareil ?

Alors même si le sujet a été retourné dans tous les sens, il me semblait important, primordial, essentiel et nécessaire de... ben, de virer mon dictionnaire des synonymes déjà, et surtout de partir à la rencontre de celui qui effraya la chronique judiciaire alors qu'il s'apprêtait à remporter les préliminaires socialistes les doigts dans le nez... entre autres.

Afin de prendre du recul sans trop m'avancer... oui, alors si avez des doutes sur le sens de certaines phrases, n'hésitez pas à vous rendre sur mon site *je-ne-comprends-pas-tout-ce-que-vous-dites.com*. Je disais donc, afin de prendre le recul nécessaire, je décidai de me rendre à New York en moonwalk.

Après trois heures de surplace, je dus alors me rabattre sur Force Erwan, l'avion mis à disposition par mon ami Olivier de Kersauson... qui n'est pas du tout mon ami, et qui n'a pas le moindre avion. Ce qui m'obligea donc à emprunter un vol régulier.

Nous avions à peine décolleté que Suzy, une hôtesse de l'air, proposa de me surclasser en classe affaire. Comme tout est à-faire et rien n'est acquis, je la suivis les yeux fermés. Ce qui est totalement ridicule, et vivement déconseillé lors du décollage car l'atterrissage est immédiat. Oui, je venais d'écraser Suzy, devenue hôtesse de sol l'espace d'un instant.

Plus tard, vers les 11 heures GMT, une fois débarqué à JFK en vue de mon rendez-vous avec DSK, une DS4 m'attendait afin de me conduire à son hôtel. Arrivé sur place, ma bombe lacrymo en poche, Dominique m'ouvre la porte vêtu d'un pyjama pilou-pilou et d'une paire de pantoufles Hello Kitty. Il m'invite à entrer dans sa suite éclairée par quelques chandelles, et me propose de m'asseoir sur ses genoux. Lui faisant remarquer qu'il serait préférable de nous entretenir en tête à tête plutôt qu'en tête à queue je me place face à lui. Il me regarde, je le regarde me regarder, il me sourit, je continue de le regarder en train de me sourire.

Une complicité commence à s'installer. Je fais la moue, il opine, je le remercie alors d'avoir si chaleureusement répondu à mes questions, sans langue de bois, ni langue de chat, ni langue tout court d'ailleurs !

On finit quand même par échanger quelques réflexions, mieux vaut queutard que jamais, sur Big Apple et ses pépins, ses amis de trente ans qui lui ont tourné le dos, et les autres qui au contraire n'osent pas…

Il évoque enfin son Désir de revoir Harlem, seul homme me dit-il capable de permettre à la France d'avoir un jour un beur Président.

Juste avant que je prenne congé, il me demande de remettre un pli à la trist'Anne, à qui

il doit son statut et la liberté. C'est un mot
d'excuse.

Comme quoi on peut avoir de la suite dans
les idées, faute d'avoir de bonnes idées dans les
suites...

Bernard Tapie

Invité : Franck Riester

Vous le savez sûrement pas, et même si vous le savez, comment voulez-vous que je le sache, mais jeudi c'est l'anniversaire de Bernard Tapie. Notion toute relative puisqu'il aurait septante ans en Belgique, soixante-dix ans en France, Milan en Italie, Sète dans l'Hérault, Troyes dans l'Aube, avec de légères ondées matinales sur la Corse. Bonsoir et à demain…

Oui… Bernard Tapie, vous disais-je, avant que je me coupe la parole, fêtera donc son soixante-dixième anniversaire, soit un demi-siècle en partant du principe qu'un siècle dure cent quarante ans, ou un quart de brie, en partant du principe que Tapie est un produit laitier… et donc notre ami pour la vie.

Alors vous me direz qu'on s'en fout, et même si vous le dites pas je le dirai pour vous, mais Nanard fait quand même partie des personnalités qui comptent dans ce pays. C'est pourquoi je partis en PACA, ce qui équivaut à partir en PARKA sans avoir l'R, en direction de Marseille à bord d'un Luc Ferry afin de rencontrer le nouveau Citizen Kane de la cité Phocéa. Je me rends compte d'ailleurs que je n'ai toujours pas remercié Luc : « *Thank you Ferry much !* »

Arrivé dans le Vieux-Port, rendez-vous est donné sur son yacht flambant 10, l'équivalent haut de gamme du flambant neuf. Tapie volant d'une réunion à l'autre me prévient à l'avance qu'il aura un peu de retard, mais comme de mon côté je l'ai prévenu trop tard que j'aurais un peu d'avance, ben du coup on est arrivés tous les deux pile à l'heure.

A peine embarqué sur son bateau, qui donne juste sur Notre-Dame de Lagarde – je m'étonne d'ailleurs qu'il veuille avoir Lagarde à vue ! –, je lui demande si la Santé va bien, tout ça… Il préfère éviter le sujet et enchaîne sur ses projets futurs : marier ses deux grandes passions que sont les affaires, le théâtre, la chanson, le sport, la télévision, la politique…, me précisant qu'il puise son jus dans le fruit de ses passions, et les pépins dans le fruit de son travail… Oui, alors pour ceux qui ne liraient pas entre les lignes, il y a toujours l'adidas-calie.

Evoquant l'avenir, il me parle de son futur one man-BernardShaw sobrement intitulé « Bernard Tapine » et dont *La Provence* a déjà fait une critique dithyrambique alors qu'il n'a pas encore mis un pied sur scène.

D'un air dubitapif, c'est la même chose mais avec le nez, je fais allusion à l'indépendance des journalistes. Il m'explique y tenir plus que tout, et en tant que futur patron de presse-papier s'en est d'ailleurs entretenu pas plus tard que plus tôt avec Jean-Claude Tapie, rédacteur en chef de *Nice-Matin*, et Aristide Tapie, de *La Dépêche de Tahiti*.

Devant cette profession de mauvaise foi, je décide de lever les voiles en me jetant à l'eau. Au moment de plonger, j'aperçois l'ombre de Tapie dans la mer.

Une vague intuition me submerge car l'homme ne prend pas la mer, c'est Le maire qu'il prendra.

Jean-Claude Van Damme

Samedi matin, le roi, sa femme et le p'tit prince sont venus chez moi pour me serrer la pince. Mais comme j'étais pas là... Eh ben, ils sont partis. Faut prévenir aussi, moi comme tous les week-ends j'étais au marché pour écouler les DVD pirates de mes interviews.

A mon retour, je reçois un coup de fil du ministre belge de la Culture.

J'avais oublié qu'on avait des ministres et encore plus au rayon culture... Il me précise que son portefeuille est plutôt dédié au culturisme et qu'à ce titre, pour la dernière de la Matinale, il serait opportun que je rende hommage à la mère patrie en réalisant l'interview de JCVD.

Je précise que J.C./V.D. n'est pas le fils que Jésus-Christ a eu avec Valérie Damidot, mais bien le diminutif de Jean-Claude Van Damme, de son vrai nom Jean-Claude Van Varenberg, mieux connu ici sous le nom de Jean-Claude Van Damme.

Direction Los Angeles, donc, où j'ai décidé de me rendre en train, comme un homme normal. A peine débarqué à la gare de LA, trempé…, j'aperçois Mickey Rourke, qui n'a pas bougé d'un pouce depuis mon interview d'Angelina Jolie !

En réalité il ne peut plus bouger depuis son dernier lifting : il a les talons d'achille bloqués derrière les oreilles… c'est arrivé y a trois mois en éternuant trop fort.

Je poursuis mon voyage. Arrivé à la porte du Kremlin, on m'informe que la Russie c'était y a deux mois et que j'ai fait un mauvais copié-collé. Un détour par la corbeille plus tard, j'arrive à Hollywood, La Mecque des stars, afin de rencontrer Jean-Claude, la star des mecs. Habillé d'un costume Charal en peau de muscle, il m'accueille cordialement d'un grand coup de savate en pleine poire, un bon entraînement pour son nouveau film : *Tronche de kick.*

Pendant que je tente de stopper le saignement de mon nez avec le doigt d'un Thaïlandais accroché au mur de ses trophées, il me pitch le pitch de son film. L'histoire d'un casque, bleu, qui veut venger la mort de sa femme, décédée à l'issue du meurtre, tuée par le tueur. Pour des questions de budget, il jouera à la fois le casque, sa femme et le meurtrier. Le tout devant un fond vert peint à la main.

Décelant un brin d'étonnement dans mon regard, il me dit que pour arrondir ses fins de mois il est traducteur automatique chez Google...

Comprenant que c'est pas la meilleure des idées que d'interviewer Jean-Claude, je file à la belge, ce qui ne veut rien dire, et afin de ne pas être en retard pour la dernière, m'embarque dans l'avion qu'Obama a consenti à me prêter grâce au concours de Laurence Haïm. De retour à Bruxelles à bord d'Air Force One – à ne pas confondre avec Force Erwan, le bateau de pêche d'Olivier de Kersauson –, je me mets en quête d'un autre Belge illustre à interviewer.

Mais vu que Johnny est en hollidays après le succès de sa tournée « Age tendre et caisses en bois », l'évidence finit par me sauter aux yeux.

Après avoir fait le tour des grands de ce monde, peut-être est-il temps que je parte à la rencontre de moi-même. Car si aujourd'hui un volcan s'éteint, j'ai découvert qu'au fond de moi un être s'éveille.

Arrivé sur le pas de ma porte, je sonne. J'attends… personne ne vient, je me dis que je dois être parti. Je fais alors le tour pour aller m'ouvrir mais, surprise, je ne suis plus là ! Ben oui, à me faire attendre, j'ai fini par me poser un lapin. Heureusement, comme je ne suis pas rancunier, je me convaincs de revenir et m'installe dans le canapé en tête à tête avec, euh, rien.

Je commence alors à me demander quoi retenir de ces six mois de Matinale.

La première chose qui me vient à l'esprit, c'est que… c'est le matin. Mais alors vraiment très le matin, je crois que plus le matin que ça, ça s'appelle la veille au soir. Alors que je m'apprête à enchaîner sur la deuxième chose qui me vient à l'esprit, je me coupe la parole et m'invite à aller directement à l'essentiel.

Ben oui, l'essentiel dans une émission ce sont d'abord les gens qui la font. Et même si Gilles (Delafon) croit que seulement deux la font, c'est en fait toute une équipe qui s'active pour chaque jour vous offrir le meilleur, surtout le vendredi…

C'est donc logiquement que mon dernier jeu de mots ira à mes collègues visibles et invisibles pour leur dire :

« L'un reste, l'autre part », Massenet pas la fin du monde...

Jacques Vergès

Pour cette dernière émission de la saison – oui, c'est rediffusé dans le désordre – j'ai décidé de traiter mes sujets avec une plus grande profondeur. Je ne parle pas de sujets aquatiques, même si j'aime jouer avec Nemo, non pour cette rentrée je vais tenter de rencontrer, non pas nos chers voisins ça c'est après le JT, mais nos chers disparus.

Alors si on a retrouvé la 7ᵉ compagnie, ou encore Muriel Robin qui revient Tsoin-Tsoin dès mardi prochain, il n'en va pas de même de Jacques Vergès, crème des crèmes des avocats, excellent à l'apéro…, désormais trépassé par les événements.

Il me semblait donc essentiel, c'est le cas de le dire…, d'aller à la rencontre de ce maître qu'enterrent les préjugés, passionné de Klaus combat, afin de découvrir le petit coin de paradis où repose ce diable d'avocat qui nous acquittait.

C'est à bord d'un Gbagbo noir de monde que j'embarquai afin de retrouver celui qui se fait désormais appeler Jacques Vergé depuis qu'il est en compote. Après quelques heures de navigation, je découvre l'enfer du décor ; le Club Khmer-diter-rannée, sorte de Camp-Bodgien, où avec son copain Pol… pote depuis qu'ils se sont rencontrés sur les bancs de la Sorbonne avant celui des accusés, ils ont décidé de passer leur vie-âgée.

A peine débarqué, je suis accueilli par Carlos qui, l'arme à l'œil à défaut de l'avoir au poing, vient me faire un big bisou et m'emmène afin de me présenter toute l'équipe GO.

Après avoir salué le GO voile, le Go animation, et le GO trouve-tout, je salue Jacques Vergès que je découvre dans sa robe d'avocat à hauts talents en train de jouer avec Barbie, promu chef de village après avoir été GO-cide.
Saluant Klaus nommé… chef donc, je suis pris d'un haut-le-cœur. Oui, il me fait flipper le défunt !

Afin de détendre l'atmosphère, Jacques m'invite sur sa terrasse avec vue sur l'éternité afin d'échanger un peu nos points de vie. Alors qu'il me propose un Omar-m'a… yonnaise je lui fais part de mon étonnement de ne pas voir son ami

Mao au milieu de cette joyeuse bande. Il me répond que Mao a une en-chine de poitrine. Point. Sur Mao c'est tout.

Je reviens alors sur sa disparition pendant huit ans sans laisser d'adresse, alors qu'il n'en était pas dépourvu… Il me dit qu'il est important parfois de ne rien dire car « rien de secret / rien ne s'opère », et m'avoue à demi-mot, ou demi-mort, ou encore Demi Moore pour ceux qui ont vu *Ghost*…, qu'il a disparu car il a rendu un service secret, qui a d'ailleurs rendu Israël vraiment Mossad.

Avant de nous quitter j'égraine sa liste de clients sulfureux tels que l'acerbe Milošević, Tarek Aziz, ou encore Georges Ibrahim Abdallah qui est encore sur Liban des accusés. Il me dit qu'effectivement il n'a jamais voulu faire partie du gratin d'avocat, préférant défendre ceux que la Cour-jette, et que du coup, damné en damné, il a fini par pactiser avec le Diable.

Lassé des barreaux d'honneur il m'avoue qu'en définitive c'était peut-être une Faust bonne idée… et qu'après avoir donné sa vie pour les sans-voix, il veut maintenant donner sa mort pour les sans-ciel.

Zahia

Invitée : Christiane Taubira

Vous ne le savez peut-être pas, et si vous le savez, eh ben, ça tombe bien parce que moi aussi j'aimerais bien le savoir ! Mais savoir quoi ?... Ben justement j'en sais rien, c'est bien pour ça que je vous le demande...

Alors plutôt que de terminer sur ce que je n'ai pas encore commencé, c'est un bon début, autant finir sur le cas Zahia, qui n'est pas un instrument à vent brésilien, quoique, mais cette call-girl qui déclencha un véritable call-gate en brossant dans le détail ses relations tarifées, ou Tarifa pour nos amis espagnols, ou encore Shariffée, si on s'appelle Omar...

Nul doute qu'à l'occasion de son procès qui s'ouvrira le 18 juin, on y parlera en particulier de football, et en général de gaule... Du coup, Franck, Ribe-ry jaune à la perspective de ce grand déballage. Tout comme certains membres de l'équipe de France, champions de la passe... verts de s'être fait prendre comme des bleus ! Zahia voir du sport.

Mais bon, après Nabilla et sa Stendhal ovation, évitons de remettre le couvert avec Zahia la belle. Non pas que ce ne soit pas intéressant de s'épancher sur cette nouvelle sil'icône de mode, mais même si le Buzz m'éclaire, ce n'est pas une raison pour faire un Buzzness sur le dos des stars du botox office.

Donc, comme j'avais fait fausse blonde, c'est comme faire fausse route mais à un cheveu près, je m'échappai du palais, de justesse, et pris la direction d'un autre palais, omnisport celui-là, où Patrick Bruel donnera un concert le 22 juin. Et non pas 22 joints qu'on sert, ça c'est le tour de chanvre que Yannick Noah organise chaque année, et qui fait un tabac au mois du joint. Une sorte de noces de Cana, *bis*...

Alors que j'étais venu amadouer Patrick ce samedi à Bercy, ce qui équivaut à amadouer Mariam le dimanche à Bamako, on m'indiqua que je ne tombais pas vraiment à pique car l'idole déjeune… Oui, il était parti se faire une côte de bluff dans une petite suite, pour la fête des paires. Ça valet bien la peine !

Bon, vu qu'on ne sait pas de quoi demain sera fait, ni hier non plus si on a un trou de mémoire, ni hier non plus si on a deux trous de mémoire…, je préférai alors rebrousser chemin, même si je ne l'avais pas broussé en arrivant, pestant à l'idée de m'être encore une fois plié en quatre en vain !… en quatre-vingts quoi, et tout ça pour pour rien ! Nadal comme on dit en espagnol…

Ibère frustré à l'idée de me retrouver à terre, battu, je me dis qu'à force de chroniquer dans le vide, je vais finir par me faire un tour de rien et devrai alors parcourir le reste de l'actu-alité…

Je décidai donc de quitter ce futur compliqué pour faire un bond dans le passé plus simple afin de rendre un dernier hommage à Pierre Mauroy. Oui, Toi Toi Mauroy qui aux Invalides ne fut pas à court d'honneurs entre un poème de la Martine et le chant de la *Marseillaise* qui résonnait sous les yeux rougis de Lille.

Comme l'aurait dit Patrick, te voici maintenant à la place des grands hommes…

Dernière

Invité : Michel Denisot

Vous le sachez peut-être, oui bon je dis ce que je veux... et si vous ne le savez pas non plus eh bien tant pis, c'est vache, oui je sais... Mais en ce dimanche dominical, ou dimanche pascal si vous êtes né un neuf, ou dimanche Maïtenal si vous êtes un lève-tôt... enfin aujourd'hui quoi, je vous livre mon dernier Retour vers le futur.

Comme quoi le futur a bien une fin et la fin un début. Rien de tel donc que le présent, « ici et maintenant ! »... *Hic et Nunc* si on est Rome antique... Mais bon, le hic c'est que maintenant, c'est déjà avant.

Bref, cette chronique, du latin *chronicum* et du franco-grec *chroNikos*, m'aura permis-de-conduire ma plume aux quatre coins du monde, aux six côtés de l'Hexagone, aux plus hauts sommets des profondeurs, dans les régions de la planète les plus reculées, avancées, assises, debout, couchées, COUCHÉ !…, pour des rencontres aussi sûres que réalistes, aussi curieuses que rieuses.

D'une simple touche sur mon clavier à spirale je me suis retrouvé dans la baraque d'Obama, me suis encastré dans Fidel, suis entré dans la reine, ai buzzé avec Nabilla, ai fait marcher Delon en large, été à la peine avec Jean-Marine, et laissé à terre Mitt…

Alors, bien sûr, pour cette ultime dernière j'aurais pu décrocher la lune ou l'autre, rencontrer Dieu le Père, voire mieux encore : le Dieunisot en personne, c'est dire si c'est quelqu'un, car il présentera ce mardi le premier numéro de *Vanity Fair*… son nouveau Grand Journal. Mais n'ayant pas assez bûché, par vanité, je ne vais pas le faire.

C'est pas faute d'avoir essayé hein, mais en arrivant devant votre bureau, je suis tombé sur un piquet-de-Greef : des militants du Canal+ historique qui refusaient votre départ, pas de pot ! On a même dû appeler Les-secure pour les évacuer… Alors j'espère que vous ne serez pas amer, Michel, mais je vais profiter encore un peu du plaisir dément des mots pour évoquer une ultime fois la chance que j'ai eue à travers ces chroniques de rencontrer des gens.

Des « gencontres » en quelque sorte, des « gens-pour aussi ».

Des jambons : aucun, des Laurent Bon un seul. Et puis des gens-foutre et des gens bien parfois, mais pas de Jean-Pierre, pour ma der'...

Mais surtout, j'ai rencontré un Cyril... la niaque, un Nicolas de Morand-pas-dini..., un Guillaume tel... qu'Hennette, des Marc de sympathie, un de ces Martin qui luttèrent, une Raphaëlle Baillot-nette et précise, une Aurélia Perreau, qui compte, et puis... une Maïté-là, Biraben qui ria la première. Complice et comparse de la farce tranquille. Une Lady Commandements... à la barre de cette émission très cathodique.

Sans omettre, car on ne peut pas omettre sans caser ses vœux, cherchez pas ça ne veut rien dire, tous ceux que vous ne voyez pas.

Mais moi je vous vois... je tutoie même chaque semaine ces gens d'ombre qui nous rendent lumineux, pendant que les maquilleuses, elles, évitent de nous rendre brillants, allez comprendre…

Mais ne tombons pas dans le pathos, ni dans le pâté, ni dans le Pas-de-Calais.

Ne tombons nulle part en fait, ni ici, ni ailleurs, ni nulle part ailleurs. Quoi que… Non je déCaunes !

Voilà, maintenant que je sais que vous savez ce qu'il y avait à savoir, je m'en retourne vers de futures aventures. Et, comme il est déjà bien tard, je vous dis à bientôt et merci.

Et puis à toi aussi Maïtena je dis merci et bravo pour avoir, une saison durant, été sans nul doute ce « Supplément » dame…

Table

Voyages en absurdie